Tapas

Catalogage avant publication de Bibliothèque et Archives nationales
du Québec et Bibliothèque et Archives Canada

Vedette principale au titre :

Tapas

(Cuisine moderne)
Traduit de l'allemand.
Comprend un index.

ISBN 978-2-89654-011-2

1. Tapas (Cuisine). I. Masselot, Mathieu.

TX740.T3614 2008   641.8'12   C2008-940884-5

**Pour l'aide à la réalisation de son programme éditorial, l'éditeur
remercie :** le Gouvernement du Canada par l'entremise du Programme
d'aide au développement de l'industrie de l'édition (PADIÉ) ; la Société
de développement des entreprises culturelles (SODEC) ; l'Association
pour l'exportation du Livre Canadien (AELC) ; le Gouvernement du
Québec – Programme de crédit d'impôt pour l'édition de livres
– Gestion SODEC.

Titre original : Tapas
© Naumann & Göbel Verlagsgesellschaft mbH
au sein de la VEMAG Verlags- und Medien Aktiengesellschaft, Cologne

Pour la version en langue française :
© Komet Verlag GmbH
au sein de la VEMAG Verlags- und Medien Aktiengesellschaft, Cologne
Traduction de l'allemand : Mathieu Masselot

Pour la version française du Canada :

Copyright © Ottawa 2008
Broquet inc.
Dépôt légal — Bibliothèque nationale du Québec
3e trimestre 2008

Relecture : Andrée Laprise
Infographie : Sandra Martel

Imprimé en Chine

ISBN 978-2-89654-011-2

Tapas

Broquet

97-B, Montée des Bouleaux, Saint-Constant, Qc, Canada J5A 1A9,
Internet : www.broquet.qc.ca   Courriel : info@broquet.qc.ca
Tél. : 450 638-3338   Téléc. : 450 638-4338

Sommaire

Introduction	6
Œufs et pâtes	14
Légumes, champignons et salades	40
Viandes	74
Volailles	90
Poissons et fruits de mer	108
Sauces, pains et fromages	134
Index des recettes	160

Introduction

Depuis des siècles déjà en Espagne,
on sert des tapas pour accompagner
un verre de xérès, de vin ou de bière.
Ces petits amuse-gueules épicés au
poisson, à la viande, aux légumes ou
en salade constituent une base solide
et donnent envie d'en reprendre.

Les tapas

Les comptoirs des bars à tapas sont bien garnis de plats creux et d'assiettes sur lesquels sont présentés les petits plats et les délicats canapés les plus divers. Ces petites bouchées sont si alléchantes qu'on ne peut leur résister.

De par leur origine, les tapas sont tous les petits plats qui réduisent le temps entre le déjeuner et le dîner. Différentes histoires à propos de l'origine des tapas circulent. On raconte par exemple qu'elles furent inventées par le roi d'Espagne Alphonse X. Celui-ci vécut au XIIIᵉ siècle et, durant une période de maladie, il ne pouvait avaler que de petites bouchées avec son vin. Lorsqu'il eut recouvré la santé, il ordonna que plus jamais le vin ne soit servi en Espagne sans que quelque chose à manger ne soit offert en accompagnement. Cette belle histoire semble bien improbable et d'autres sources rapportent que les premiers tapas furent en réalité consommés par les paysans et par le peuple. En effet, ceux-ci devaient prendre des repas intermédiaires afin de pouvoir effectuer leur dur labeur sans devoir prendre un véritable repas entre-temps. On suppose que la culture des tapas est née de l'influence des Maures. On connaît dans la culture culinaire nord-africaine l'usage de partager de petits repas entre convives et de les savourer en commun.

Quel que soit l'endroit d'où les tapas tiennent leurs origines, les bars qui les servaient se répandirent de plus en plus, et la grande période des tapas commença. Depuis cette époque, toutes les boissons servies dans des chopes ou des verres étaient toujours recouvertes d'une tranche de pain, de jambon fumé ou de fromage. Ainsi, ni la poussière ni les mouches ne pouvaient tomber dans le verre, et on pouvait manger quelque chose tout en consommant de l'alcool. Ces petits délices à déguster étaient appelés *tapas*, ce qui ne signifiait simplement « couvercle ». C'est ainsi qu'avec la consommation de tapas naquit une tradition espagnole, désormais populaire dans le monde entier. Au fil des siècles, cette tradition est devenue un mode de vie. La diversité de ces petits plats est immense. Ils sont servis dans de petits bols ou sur des assiettes puis consommés entre amis.

Les plus simples tapas peuvent aussi être très facilement réalisés à la maison avec les ingrédients que l'on peut toujours avoir en stock. Ainsi, de très fines tranches de jambon serrano, de salami et de chorizo, des olives aux différents assaisonnements, du fromage en dés, du poivron en lanières et du pain blanc en tranches peuvent être préparés dans de petites coupelles en quelques instants.

Les variantes sont infinies ; il n'existe rien qui ne puisse être arrangé en quelque petite bouchée décorative. Ce peut être une simple salade composée de rondelles de tomates, présentée sur une assiette, assaisonnée d'oignon et d'ail, parsemée de persil et arrosée de quelques gouttes d'une délicieuse huile d'olive. On peut aussi présenter et servir la salade non sur une assiette, mais sur du pain grillé ou du pain de campagne.

Les sardines sont un mets traditionnel. Elles sont souvent proposées frites ; elles sont croustillantes et leur saveur est tout à fait exquise. On peut consommer ces petits poissons avec la tête et la queue. En Espagne, on utilise naturellement de l'huile d'olive pour les faire frire. Celle-ci est particulièrement bien adaptée car son point de fumée est très élevé. Elle peut toutefois être remplacée par toute autre huile à haut point d'ébullition : huile de canola, huile de tournesol naturelle ou même beurre fondu.

Dans tous les cas, les tapas doivent aussi comprendre **des crevettes a la plancha,** des crevettes grillées. Les crevettes surgelées doivent donc être décongelées avec précaution avant la préparation. Pour ce faire, les crevettes sont ébouillantées. On les immerge brièvement dans l'eau bouillante, puis on les rince à l'eau froide et on les égoutte soigneusement dans une passoire. On les réserve enfin pendant 30 minutes au réfrigérateur dans la passoire. Les crevettes sont grillées sur ce que l'on appelle la *plancha*. Une telle **plancha** est un gril formidable. Il s'agit d'une grande plaque d'acier inoxydable ou de fonte. La source de chaleur située au-dessous la chauffe très fortement si bien qu'il est possible d'y faire cuire comme dans une énorme poêle. En raison de la forte chaleur, les crevettes et autres aliments sont rapidement à point. La couche extérieure de protéines est immédiatement saisie et l'intérieur reste donc moelleux. La surface des aliments caramélise légèrement, ce qui leur confère une saveur très agréable.

Il existe au total des centaines de recettes de tapas tous aussi délicieux. Certains d'entre eux donnent un peu plus de travail mais permettent une immense diversité culinaire correspondant aux goûts de chacun. Les tapas sont toujours préparés à partir de produits locaux, frais ou marinés.

Les bars à tapas ouvrent vers 13 heures en Espagne et proposent une telle variété de mets que l'on n'a que l'embarras du choix. Dans certains bars, l'assortiment de tapas est exposé au comptoir. Un serveur dispose sur une petite assiette les tapas choisis par le client. Celui-ci les déguste debout au comptoir ou assis à l'une des nombreuses petites tables. Dans certaines régions d'Espagne, on se sert soi-même au bar à tapas et on règle l'addition en sortant, en fonction du nombre de petites assiettes, de brochettes et de petites fourchettes en bois utilisées.

Traditionnellement, de nombreux tapas sont consommés avec un fino, un xérès sec et léger, et de petites fourchettes ou des piques

Les tapas que l'on trouve partout sont des croquettes de poulet et de poisson, des pommes de terre et *albondigas* relevées de petites boulettes de viande hachée. Les variétés de légumes moins courantes, telles que les aubergines ou les haricots, sont utilisées dans la tortilla. Lorsque celle-ci contient en plus quelques gambas ou sardines, elle est très consistante et peut remplacer un déjeuner complet.

De nombreuses recettes espagnoles sont également appropriées pour les tapas ; les mets sont simplement découpés à la taille d'une bouchée et servis avec des brochettes ou de petites fourchettes. Pendant ce temps, de nouvelles recettes de tapas sont constamment inventées dans le monde entier.

Les différents tapas

Les cosas de picar sont de petites bouchées à grignoter. Elles comportent les olives, les amandes assaisonnées, les piments vert et les morceaux de tortilla frits ou de la salade sur des tranches de pain.

Les pintxos sont légèrement plus nutritifs et sont piqués sur des brochettes, comme des pommes de terre, des foies de volaille au xérès et de petites boulettes de viande nappées de sauce.

Les cazuelas sont en fait des petits bols en terre cuite. Ils sont utilisés par tous les cuisiniers espagnols et les plats préparés qu'il contiennent s'appellent également *cazuelas*. Ceux-ci comptent pa exemple les crevettes à l'ail avec du citron et du persil ou des fèv au jambon et à l'œuf.

Aujourd'hui, la fonction initiale de couvercle des tapas est passée au second plan. Ils sont devenus une véritable institution et représentent une tradition conviviale qui respire la joie de vivre et constituent un mode de vie. Les tapas donnent un cadre décontracté pour se rencontrer au début de la pause de midi ou immédiatement après la journée de travail, pour bavarder, boire quelqu chose et goûter diverses petites bouchées selon ses envies. Faites entrer le soleil méridional et la joie de vivre dans votre maison et savourez ces petits mets d'Espagne aussi simples qu'irrésistibles que nous avons rassemblés pour vous. Nous vous souhaitons autant de plaisir à les cuisiner qu'à les déguster !

12

à cocktail. Les tapas du midi sont un avant-goût du déjeuner, la *comida*, servi entre 13 h 30 et 15 heures.

Celui-ci est composé de trois plats — l'entrée, le plat de résistance et le dessert. En fin d'après-midi, entre 17 heures et 18 h 30, suit la *merienda*, une pause café avec gâteau et petits pains. Entre 20 et 21 heures, on a peut-être déjà pris rendez-vous avec des amis pour une autre dégustation de tapas en soirée. En général, cette dernière se termine de manière traditionnelle par un *tapeo*, une tournée des bars à tapas. Cette coutume conduit de temps en temps à renoncer complètement au dîner, la *cena*, qui suit normalement vers 22 heures. Dans ce cas, les personnes affamées en particulier ne commandent pas seulement des tapas mais des *raciones*. Les *raciones* sont simplement de plus grandes portions de tapas.

Dans la culture culinaire espagnole, les bars à tapas sont un symbole de convivialité. On sort en groupe, on boit un verre de fino, on mange quelques petits canapés, on bavarde, on se retrouve entre amis, connaissances et voisins. Les bars à tapas sont ainsi des lieux de rencontre au cœur des quartiers et des endroits où délice et vie sociale se mêlent. En Espagne, le soir, personne ne semble être pressé de rentrer à la maison. Et pourtant, le matin suivant, tout le monde se retrouve dans le même bar du coin pour un premier café. Il n'est pas rare que le *tapeo* de la veille fournisse un sujet de discussion avec le voisin. Les tapas — ne serait-ce que des coupelles remplies d'olives, d'amandes, de pois chiches ou d'autres petits délices — ont leurs véritables admirateurs que l'on appelle *tapeadores*.

Œufs et pâtes

Beaucoup de délicieux tapas peuvent être préparés à base d'œuf. La classique tortilla espagnole en fait partie. Il s'agit d'une omelette admirablement épicée, servie sous forme de petites bouchées dans lesquelles peuvent se cacher non seulement des pommes de terre, mais aussi diverses variétés de légumes, du chorizo (saucisson espagnol relevé au piment) ou du poisson.

Pour 4 personnes

- 1 paquet de pâte feuilletée surgelée
- 2 oignons hachés
- 2 tomates coupées en dés
- 1 poivron vert coupé en dés
- 250 g (8 oz) de champignons variés
- 5 ml (1 c. à thé) d'huile
- sel, poivre
- 1 œuf dur
- 100 g (3 ½ oz) de crevettes décortiquées
- 2,5 ml (½ c. à thé) de piment fort en poudre
- 1 jaune d'œuf pour dorer

Préparation : env. 25 min (plus temps de cuisson)

Empanadillas

champignons et crevettes
Empanadillas de setas y gambas

1 Laisser décongeler la pâte feuilletée. Préchauffer le four à 200 °C (400 °F). Faire fondre le beurre et faire revenir les oignons. Ajouter et mélanger les tomates et le poivron. Laver les champignons, les couper en morceaux selon leur taille. Faire chauffer 15 ml (1 c. à soupe) d'huile dans une poêle, faire cuire les champignons à feu vif. Saler et poivrer.

2 Écaler l'œuf, puis le hacher finement. Découper également les crevettes en petits morceaux. Incorporer l'œuf et les crevettes dans la poêle et faire cuire. Ajouter le piment, laisser mijoter 10 min en remuant de temps en temps. Saler, poivrer et laisser refroidir.

3 Dérouler la pâte feuilletée et découper des cercles de 15 cm (6 po) de diamètre. Étaler la farce sur la moitié des cercles. Humecter le bord avec un peu d'eau, rabattre et appuyer fortement. Badigeonner de jaune d'œuf et faire cuire environ 15 min.

légumes et raisins secs
Empanadillas de verdura y pasas

1 Laisser décongeler la pâte feuilletée. Préchauffer le four à 200 °C (400 °F). Faire fondre le beurre et faire revenir les oignons. Ajouter et mélanger les tomates et le poivron.

2 Ajouter les raisins et le piment, laisser mijoter 10 min en remuant de temps en temps. Saler, poivrer et laisser refroidir.

3 Dérouler la pâte feuilletée et découper des cercles de 15 cm de diamètre. Étaler la farce sur la moitié des cercles. Humecter le bord avec un peu d'eau, rabattre et appuyer fortement. Badigeonner de jaune d'œuf et faire cuire environ 15 min.

Pour 4 personnes

- 1 paquet de pâte feuilletée surgelée
- 15 ml (1 c. à soupe) de beurre
- 2 oignons hachés
- 2 tomates coupées en dés
- 1 poivron vert coupé en dés
- 15 ml (1 c. à soupe) de raisins secs
- 2,5 ml (½ c. à thé) de piment fort en poudre
- sel, poivre
- 1 jaune d'œuf

Préparation : env. 25 min (plus temps de cuisson)

17

Tortilla aux cèpes

Pinchitos de tortilla de setas

1 Nettoyer les cèpes et les frotter à l'aide d'un torchon. Éventuellement, les laver et les sécher avec précaution.

2 Couper les cèpes en tranches et les disposer dans un plat creux. Arroser de quelques gouttes d'huile aillée, saler et poivrer.

3 Battre les œufs dans une terrine et ajouter les cèpes.

4 Faire chauffer l'huile à feu doux dans une poêle. Verser le mélange œufs-champignons et laisser prendre. Réduire le feu.

5 Retourner la tortilla à l'aide d'une assiette et faire dorer le second côté.

6 Couper la tortilla aux cèpes en dés et les servir chauds ou froids piqués sur des brochettes en bois.

Pour 4 personnes

200 g (7 oz) de cèpes

30 à 45 ml (2 à 3 c. à soupe) d'huile aillée

sel, poivre

5 œufs

10 ml (2 c. à thé) d'huile

brochettes en bois pour servir

Préparation : env. 20 min (plus temps de cuisson)

19

Tortillitas aux crevettes

Tortillitas de gambas

1 Dans une terrine, mélanger la farine avec 250 ml (1 tasse) d'eau froide pour en faire une pâte à crêpe épaisse et lisse. Peler les oignons et les couper en dés.

2 Nettoyer les crevettes, déveiner et les hacher finement. Incorporer les oignons, les crevettes et le persil haché à la pâte.

3 Saler la pâte et laisser gonfler au moins 3 h. Lorsque la pâte a épaissi, ajouter un peu d'eau.

4 Couvrir le fond d'une poêle d'huile. Verser un peu de pâte dans la poêle à l'aide d'une cuillère à soupe.

5 Lisser les tas de pâte à l'aide d'une cuillère à soupe pour en faire des crêpes aussi fines que possible. Faire dorer les tortillitas des deux côtés et laisser égoutter sur du papier absorbant. Couper en petits morceaux et servir chaud.

Pour 4 personnes

125 ml (½ t.) de farine de pois chiches

125 ml (½ t.) de farine de blé

3 oignons

250 g (8 oz) de crevettes décortiquées

30 ml (2 c. à soupe) de persil haché

5 ml (1 c. à thé) de sel marin

huile d'olive

Préparation : env. 15 min (plus temps de repos et de cuisson)

Pour 4 personnes

2 gousses d'ail

4 oignons verts

1 poivron vert

1 poivron rouge

huile pour la cuisson

3 pommes de terre cuites

5 œufs

80 ml (⅓ t.) de crème sure ou de crème fraîche

150 g (5 oz) de fromage espagnol fraîchement râpé, par ex. du roncal (fromage de brebis)

30 ml (2 c. à soupe) de ciboulette ciselée

sel, poivre

papier d'aluminium

huile pour le moule

bâtonnets en bois pour servir

Préparation : env. 25 min (plus temps de cuisson)

Tortilla au four

Tortilla al horno

1 Chemiser un moule à gratin rectangulaire (env. 18 x 25 cm/ 7 x 10 po) de papier d'aluminium et badigeonner avec un peu d'huile. Préchauffer le four à 180 °C (350 °F).

2 Peler l'ail. Nettoyer, laver et couper les oignons verts en petits morceaux. Nettoyer, laver et couper les poivrons en deux. Épépiner et couper le poivron en dés.

3 Faire chauffer un peu d'huile, faire revenir les oignons verts et ajouter l'ail pressé. Incorporer le poivron et laisser mijoter environ 8 min. Laisser refroidir.

4 Couper les pommes de terre en dés et mélanger avec les légumes. Battre les œufs et mélanger avec la crème sure, le fromage et la ciboulette. Incorporer le mélange de légumes, saler et poivrer.

5 Verser le tout dans le moule à gratin et lisser la surface. Faire cuire environ 35 min. Le mélange doit être pris aussi à l'intérieur.

6 Sortir du four, couper en dés et servir piqué sur des bâtonnets en bois.

ortilla de haricots au chorizo

ortillitas de judías con chorizo

Ébouillanter les tomates 30 secondes puis les monder. lever le pédoncule, épépiner et couper en petits morceaux. ver les haricots. Nettoyer, laver et couper les oignons verts e poireau. Peler l'ail et couper le chorizo en tranches.

2 Faire chauffer 45 ml (3 c. à soupe) d'huile, faire revenir min les haricots et les oignons verts. Ajouter le poireau et l'ail ssé. Laisser cuire environ 5 min.

3 Ajouter les tomates et le chorizo et laisser mijoter environ 5 min. Battre les œufs et ajouter du sel, du poivre et les herbes hachées.

4 Faire chauffer le reste d'huile dans une seconde poêle. Verser le mélange d'œufs, couvrir et laisser prendre à feu doux. Retourner la tortilla à l'aide d'une assiette et faire dorer l'autre côté. Plier la tortilla en deux, remplir avec le mélange de légumes et servir.

Pour 4 personnes

3 tomates charnues

300 g (10 oz) de haricots blancs en boîte

8 oignons verts

1 petit poireau

3 gousses d'ail

250 g (8 oz) de chorizo

90 ml (6 c. à soupe) d'huile d'olive

8 œufs

sel, poivre

1 bouquet garni haché : par ex. basilic, thym, marjolaine

Préparation : env. 20 min (plus temps de cuisson)

 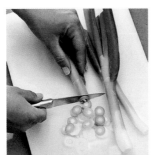 

Œufs aux épinards et tomates
Huevos con espinacas y tomate

Pour 4 personnes
200 g (7 oz) d'épinards prêts à l'emploi
5 tomates coupées en dés
1 oignon
1 gousse d'ail
huile d'olive pour la cuisson
poivre, sel
4 œufs
60 ml (¼ t.) de fromage râpé

Préparation : env. 20 min (plus temps de cuisson)

1   Préchauffer le four à 180 °C (350 °F). Nettoyer, laver et hacher finement les épinards. Peler l'oignon et l'ail, et les couper en dés. Faire chauffer un peu d'huile d'olive dans une sauteuse. Faire dorer l'oignon et l'ail.

2   Ajouter les épinards et faire cuire jusqu'à ce qu'ils fondent. Incorporer les tomates et laisser mijoter environ 12 min, jusqu'à ce que la préparation épaississe. Saler et poivrer.

3   Répartir le mélange dans quatre plats creux résistants à la chaleur. Ménager un creux au centre et placer un œuf cru dans chaque plat. Garnir l'œuf de fromage et mettre au four jusqu'à ce que le blanc d'œuf soit pris.

Œufs aux olives et à la tomate
Huevos con aceitunas y tomate

Pour 4 personnes
200 g (7 oz) d'olives
6 tomates coupées en dés
1 oignon haché
1 gousse d'ail hachée
huile d'olive pour la cuisson
sel, poivre
4 œufs
4 fines tranches de jambon serrano

Préparation : env. 15 min (plus temps de cuisson)

1   Préchauffer le four à 180 °C (350 °F). Dénoyauter les olives et les hacher en petits morceaux. Faire chauffer un peu d'huile d'olive dans une sauteuse. Faire dorer l'oignon et l'ail.

2   Ajouter les olives et les tomates. Laisser mijoter environ 12 min jusqu'à ce que la préparation épaississe. Saler et poivrer.

3   Répartir le mélange dans quatre plats creux résistants à la chaleur. Ménager un creux au centre et placer un œuf cru dans chaque plat. Garnir l'œuf de jambon serrano et mettre au four jusqu'à ce que le blanc d'œuf soit pris.

Œufs aux sardines et à la tomate
Huevos con sardinas y tomate

Pour 4 personnes
200 g (7 oz) de sardines prêtes à l'emploi
6 tomates coupées en dés
1 oignon haché
1 gousse d'ail hachée
huile d'olive pour la cuisson
sel, poivre
4 œufs
4 fines tranches de chorizo

Préparation : env. 15 min (plus temps de cuisson)

1   Préchauffer le four à 180 °C (350 °F). Vider les sardines, les laver et les couper en petits morceaux. Faire chauffer avec les dés de tomate, d'oignon et d'ail dans une sauteuse avec un peu d'huile d'olive.

2   Laisser mijoter environ 15 min jusqu'à ce que la préparation épaississe. Saler et poivrer.

3   Placer le mélange dans un plat résistant à la chaleur. À l'aide d'une cuillère à soupe, ménager quatre creux dans la préparation. Verser un œuf cru dans chaque creux. Recouvrir le jaune d'œuf de tranches de chorizo et mettre au four jusqu'à ce que le blanc d'œuf soit pris.

Œufs pimentés à la tomate *Huevos con guindilla y tomate*

Préchauffer le four à 160 °C (325 °F). Ébouillanter les [to]mates 30 secondes, puis les monder, les épépiner et les couper [en] dés.

Peler l'oignon et l'ail, et couper en dés. Nettoyer le piment [et] le poivron, laver et couper en deux. Supprimer la base du [pé]doncule et les graines, et hacher finement la pulpe.

Faire chauffer un peu d'huile d'olive dans une sauteuse. [Fai]re dorer l'oignon, ajouter le poivron, le piment, l'ail et les [to]mates. Laisser mijoter environ 12 min jusqu'à ce que la [pré]paration épaississe. Saler et poivrer.

4 Répartir le mélange dans quatre plats creux résistants à la chaleur. Ménager un creux au centre et placer un œuf cru dans chaque plat.

5 Couvrir le jaune d'œuf à l'aide des tranches de chorizo et laisser prendre le blanc au four. Avant de servir, garnir d'herbes et servir avec du pain frais.

Pour 4 personnes

6 tomates
1 oignon
1 gousse d'ail
1 piment fort rouge
1 poivron rouge
huile d'olive pour la cuisson
sel, poivre
4 œufs
4 fines tranches de chorizo
herbes pour la garniture

*Préparation : env. 20 min
(plus temps de cuisson)*

23

Tortilla aux asperges
Tortilla de patatas con espárragos

1 Laver et peler les asperges. Faire cuire environ 15 min dans de l'eau légèrement salée afin qu'elles gardent leur croquant. Égoutter et couper les asperges blanches en tronçons de 5 cm. Placer les asperges vertes sur le côté.

2 Peler l'oignon et le couper en 8 morceaux. Ôter la peau du chorizo et le couper en dés. Peler les pommes de terre, les laver et les couper en fines tranches.

3 Faire chauffer la moitié de l'huile avec 15 ml (1 c. à soupe) de beurre. Faire revenir les pommes de terre et l'oignon sans les faire dorer. Retirer et laisser égoutter. Battre les œufs, mélanger avec les pommes de terre et le chorizo. Incorporer les asperges, saler et poivrer.

4 Faire chauffer un peu d'huile avec 15 ml (1 c. à soupe) de beurre. Laisser prendre le mélange pommes de terre-œufs 10 min. Retourner la tortilla à l'aide d'une assiette. Arroser d'un filet d'huile et garnir la tortilla d'asperges vertes. Poursuivre la cuisson 5 min.

Tortilla au chorizo
Tortilla de patatas con chorizo

1 Peler l'oignon et le couper en 8 morceaux. Ôter la peau du chorizo et couper en dés. Peler les pommes de terre, les laver et les couper en fines tranches.

2 Faire chauffer la moitié de l'huile avec 15 ml (1 c. à soupe) de beurre. Faire revenir les pommes de terre et l'oignon sans les faire dorer. Retirer et laisser égoutter. Battre les œufs, mélanger avec les pommes de terre et le chorizo. Saler et poivrer.

3 Faire chauffer un peu d'huile avec 15 ml (1 c. à soupe) de beurre. Laisser prendre le mélange pommes de terre-œufs 10 min. Retourner la tortilla à l'aide d'un couvercle et ajouter un filet d'huile. Poursuivre la cuisson 5 min.

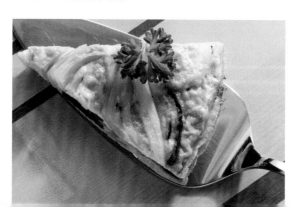

Œufs au xérès
Juevos al jerez

Verser le bouillon de veau dans une grande poêle. Ajouter [xé]rès et porter à ébullition.

Laver le basilic, secouer et enlever les feuilles des tiges. [Ajou]ter les feuilles de basilic au bouillon dans la poêle et les laisser [repo]ser environ 5 min.

Faire glisser un à un, avec précaution, 4 œufs crus dans [le bo]uillon. Laisser pocher les œufs environ 3 min jusqu'à ce que [le bl]anc soit ferme.

4   Dans le même temps, faire couler le bouillon sur les œufs. Les retirer à l'aide d'une écumoire et les disposer dans quatre plats creux préchauffés.

5   Laisser légèrement réduire le bouillon à feu vif, puis le verser sur les œufs.

6   Saler et poivrer les œufs au xérès. Servir avec du pain frais.

Pour 4 personnes
150 ml (⅔ t.) de bouillon de veau
75 ml (⅓ t.) de xérès sec
5 à 7 brins de basilic
4 œufs
sel, poivre noir
pain frais pour servir

Préparation : env. 10 min (plus temps de cuisson)

27

[B]eignets d'olives
[R]ebozado de aceitunas

Mélanger la farine avec les œufs et un peu de sel pour [obte]nir une pâte lisse. Laisser égoutter les olives, les dénoyauter [et le]s hacher grossièrement. Verser le hachis d'olives dans la pâte [et m]élanger.

Peler l'ail et l'oignon, hacher finement et ajouter à la pâte [aux] olives.

Couper les tomates en dés et incorporer à la préparation. [Ajou]ter le thym et un peu de piment de Cayenne.

4   Laver et égoutter le persil, puis le hacher finement. Ajouter aux autres ingrédients. Bien mélanger le tout.

5   Faire chauffer l'huile de friture à 180 °C (350 °F). À l'aide d'une cuillère à soupe, former de petites boulettes avec la préparation. Faire frire 5 min jusqu'à ce que les beignets soient dorés.

6   Retirer les beignets de l'huile à l'aide d'une écumoire, les laisser égoutter sur du papier absorbant et les servir chauds, piqués sur de petites brochettes en bois.

Pour 4 personnes
100 ml (½ t.) de farine
2 œufs
sel
300 ml (1 ¼ t.) d'olives noires
4 gousses d'ail
1 oignon
10 tomates séchées
5 ml (1 c. à thé) de thym
piment de Cayenne
½ bouquet de persil
huile de friture
brochettes en bois pour servir

Préparation : env. 20 min

Pour 4 personnes

6 à 8 tranches de pain
de campagne

2 gousses d'ail

4 œufs

sel, poivre

huile d'olive pour la cuisson

Préparation : env. 15 min

Pain perdu à l'ail
Pan rebozado al ajillo

1 Couper les tranches de pain en deux si elles sont grandes.

2 Peler les gousses d'ail et émincer très finement.

3 Battre les œufs avec du sel et du poivre, incorporer l'ail émincé et mélanger.

4 Faire chauffer un peu d'huile d'olive dans une poêle.

5 Plonger les tranches de pain dans les œufs battus de façon qu'elles soient entièrement recouvertes.

6 Faire cuire les tranches de pain des deux côtés dans l'huile chaude jusqu'à ce qu'elles soient dorées. Retirer de la poêle, laisser égoutter et servir immédiatement.

28

...ains andalous

...an a la andaluza

Mélanger 75 ml (5 c. à soupe) d'huile d'olive avec le vinai-
...de xérès. Saler et poivrer.

Retirer la peau du chorizo, couper en fines tranches puis
...uper les tranches en deux. Peler l'oignon et le hacher finement.

Faire chauffer le reste de l'huile et faire revenir l'oignon.
...ter le chorizo et faire cuire environ 3 min à feu doux. Retirer
...la poêle et incorporer la préparation au mélange d'huile d'olive.

4 Rincer et laisser égoutter les pois chiches, laver et sécher
à l'aide de papier absorbant. Écraser la moitié des pois chiches
à l'aide d'une fourchette, puis incorporer tous les pois chiches
au mélange de chorizo.

5 Vérifier l'assaisonnement, saler et poivrer si nécessaire.
Laver le persil, égoutter et hacher finement. Ajouter le persil à la
préparation et mélanger. Disposer 2 c. à thé sur chaque tranche
de pain.

Pour 4 personnes

90 ml (6 c. à soupe)
d'huile d'olive

30 ml (2 c. à soupe)
de vinaigre de xérès

sel, poivre

250 g (8 oz) de chorizo

1 oignon

400 ml (14 oz) de pois
chiches (en boîte)

30 à 45 ml (2 à 3 c. à soupe)
de persil haché

pain pour la présentation

Préparation : env. 20 min

Tortilla aux épinards
Tortilla de espinacas

Pour 4 personnes
500 g (1 lb) d'épinards
4 pommes de terre
1 gros oignon
huile d'olive
30 g (1 oz) de pignons
gros sel
5 œufs battus

Préparation : env. 25 min

1 Nettoyer les épinards, bien laver et laisser égoutter. Peler, laver et râper les pommes de terre. Peler les oignons, couper en rondelles et faire dorer dans un peu d'huile d'olive.

2 Ajouter les épinards et les pommes de terre, et faire fondre sans cesser de remuer. Retirer du feu et éliminer l'excédent d'huile à l'aide de papier absorbant. Verser les œufs battus sur les légumes et ajouter les pignons.

3 Saler et faire cuire 5 min à feu moyen. Baisser le feu, retourner la tortilla et faire dorer l'autre côté. Couper la tortilla en cubes et servir froid.

Tortilla au poivron
Tortilla de patatas con pimiento

Pour 4 personnes
750 g (1 ½ lb) de pommes de terre
1 gros oignon
1 poivron rouge
1 poivron vert
huile d'olive
5 œufs battus
gros sel

Préparation : env. 25 min

1 Peler les pommes de terre, laver et couper en rondelles fines. Peler l'oignon et couper en rondelles. Nettoyer les poivrons, laver et couper en deux. Épépiner et couper en lanières.

2 Faire cuire les légumes environ 20 min dans un peu d'huile. Ajouter les œufs battus. Saler et faire cuire 5 min à feu moyen dans la poêle avec un fond d'huile.

3 Baisser le feu, retourner la tortilla et faire dorer l'autre côté. Couper la tortilla en losanges et servir chaud ou froid.

Tortilla aux aubergines
Tortilla de berenjenas

Pour 4 personnes
500 g (1 lb) d'aubergines
1 gros oignon
huile d'olive
5 œufs battus
gros sel

Préparation : env. 25 min

1 Nettoyer les aubergines, laver et couper en tranches. Saler et laisser dégorger 10 min. Peler les oignons, couper en rondelles et faire revenir dans l'huile. Égoutter soigneusement les aubergines et faire dorer dans une bonne quantité d'huile. Retirer de la poêle et bien laisser égoutter.

2 Incorporer les aubergines aux œufs battus. Saler et faire cuire 5 min dans une poêle, avec un peu d'huile.

3 Baisser le feu, retourner la tortilla et faire dorer l'autre côté. Couper la tortilla en triangles et servir froid.

ortilla de pommes de terre
ortilla de patatas

Pour 4 personnes
4 grosses pommes de terre
1 gros oignon
100 ml (⅓ t.) d'huile d'olive
gros sel
5 œufs

Préparation : env. 25 min

Peler les pommes de terre, laver et couper en rondelles 3 mm (⅛ po) d'épaisseur. Peler l'oignon et couper en fines delles.

Faire chauffer l'huile dans une poêle antiadhésive. Disposer pommes de terre et les rondelles d'oignon en couches et saler que couche. Faire cuire à feu doux, juste à point, en remuant temps en temps. Les pommes de terre ne doivent pas dorer. sser égoutter les pommes de terre et réserver l'huile.

3 Battre les œufs. Recouvrir les pommes de terre avec les œufs battus et laisser reposer 10 min.

4 Faire chauffer à feu vif 30 ml (2 c. à soupe) d'huile et ajouter le mélange pommes de terre-œufs. Lisser la surface, puis réduire le feu.

5 Retourner la tortilla à l'aide d'une assiette et faire dorer l'autre côté. Couper la tortilla en triangles et servir chaud ou froid.

31

Pour 4 personnes

2 aubergines

marjolaine hachée

1 oignon

1 gousse d'ail

4 tomates

10 ml (2 c. à thé) d'huile

30 ml (2 c. à soupe) de
persil haché

15 ml (1 c. à soupe) de jus
de citron

100 ml (⅓ t.) de farine

100 ml (⅓ t.) de bière

1 pincée de poudre à pâte

huile de friture

sel

*Préparation : env. 30 min
(plus temps de friture)*

Beignets d'aubergine
à la sauce tomate
Berenjena rebozada con salsa de tomate

1 Nettoyer les aubergines, peler et couper en tranches de
5 mm (¼ po) d'épaisseur. Parsemer avec un peu de marjolaine
et empiler les tranches les unes sur les autres.

2 Pour la sauce tomate, peler et hacher finement l'oignon et
la gousse d'ail. Ébouillanter les tomates environ 30 secondes puis
les peler. Épépiner et couper la pulpe en dés. Faire revenir l'oignon
et l'ail dans de l'huile. Ajouter les tomates et le persil, et laisser
réduire environ 10 min. Incorporer le jus de citron.

3 Mélanger la farine, la bière et la poudre à pâte jusqu'à
l'obtention d'une pâte lisse. Tremper chaque tranche d'aubergine
dans la pâte, laisser égoutter et plonger immédiatement dans
l'huile de friture bouillante.

4 Retourner les tranches d'aubergine à l'aide d'une cuillère
en bois. Faire dorer les aubergines, retirer et laisser égoutter.
Saler juste avant de servir pour éviter que la pâte ramollisse.

Beignets de poivron
Pimiento rebozado

1 Laver les poivrons, couper en deux, nettoyer et couper
en lanières. Parsemer de marjolaine. Mélanger la farine, la bière
et la poudre à pâte jusqu'à l'obtention d'une pâte lisse.

2 Tremper les lanières de poivron dans la pâte, laisser égoutter
et plonger immédiatement dans l'huile de friture bouillante. Retourner le poivron à l'aide d'une cuillère en bois.

3 Faire dorer les beignets, retirer et laisser égoutter. Saler juste
avant de servir pour éviter que la pâte ramollisse.

Pour 4 personnes

1 poivron rouge

1 poivron vert

marjolaine hachée

100 ml (⅓ t.) de farine

100 ml (⅓ t.) de bière

1 pincée de poudre à pâte

huile de friture

sel

*Préparation : env. 15 min
(plus temps de friture)*

eignets au fromage
Queso rebozado

Préparer une purée fine avec le fromage bleu, la farine
e lait à l'aide d'un mélangeur.

Faire fondre le beurre dans une poêle. Ajouter le mélange
fromage et laisser mijoter à feu doux environ 15 min, sans
ser de remuer.

Transférer le mélange au fromage dans une terrine et
ser refroidir.

4 Battre l'œuf dans une assiette et râper finement les
biscottes. À l'aide d'une cuillère à soupe, former de petites
boulettes avec la préparation au fromage. Rouler les boulettes d'abord dans l'œuf puis dans la chapelure de biscotte.

5 Faire chauffer l'huile de friture. Faire frire les boulettes
en plusieurs fois, jusqu'à ce qu'elles soient dorées.

6 Retirer, laisser égoutter et servir parsemé de persil haché.

Pour 4 personnes
**175 g (¾ t.) de cabrales
(fromage bleu)**

45 ml (3 c. à soupe) de farine

750 ml (3 tasses) de lait

**30 ml (2 c. à soupe)
de beurre**

1 œuf

3 biscottes

huile d'olive pour la friture

**15 ml (1 c. à soupe) de
persil haché**

*Préparation : env. 20 min
(plus temps de friture)*

35

Œufs à l'andalouse
uevos a la andaluza

Nettoyer les asperges et couper en tronçons de 5 cm. Faire
e 8 min dans l'eau bouillante salée. Retirer et laisser égoutter.

Nettoyer le poivron, laver et couper en deux. Couper
édoncule, épépiner et découper en dés. Hacher finement
gnon, l'ail et les tomates mondées.

Faire chauffer l'huile et faire dorer l'oignon et l'ail 3 min.
ter les tomates et laisser cuire 10 min.

4 Couper le jambon et les saucisses en dés et laisser cuire
3 min à feu doux dans une seconde poêle. Retirer du feu.

5 Préchauffer le four à 200 °C (400 °F). Répartir le mélange
de tomates dans quatre petits plats à four et ajouter 2 œufs crus
dans chacun d'eux. Garnir avec le jambon, la saucisse, les asperges
et le poivron. Parsemer de persil, saler et poivrer.

6 Laisser cuire 10 min au four jusqu'à ce que le blanc
des œufs prenne, mais que le jaune reste liquide. Servir
immédiatement accompagné de pain de campagne.

Pour 4 personnes
20 asperges vertes

1 poivron rouge

1 oignon

3 gousses d'ail

400 g (13 oz) tomates

**30 ml (2 c. à soupe) d'huile
d'olive pressée à froid**

**150 g (5 oz) de jambon
serrano**

2 petits chorizos

8 œufs

**15 ml (1 c. à soupe)
de persil haché**

sel, poivre

*Préparation : env. 25 min
(plus temps de cuisson)*

Fèves aux œufs
Habas con huevo

Pour 4 personnes

2 échalotes

60 ml (¼ t.) d'huile d'olive

750 g (1 ½ lb) de fèves écossées

200 ml (¾ t.) de vin blanc

sel, poivre

4 œufs

tranches de pain de campagne grillées

Préparation : env. 15 min (plus temps de cuisson)

1 Préchauffer le four à 200 °C (400 °F). Peler les échalotes et émincer en fines rondelles.

2 Faire chauffer l'huile d'olive dans une poêle et faire blondir les oignons. Ajouter les fèves écossées et faire cuire 7 min sans cesser de remuer.

3 Mouiller avec le vin et 150 ml (⅔ t.) d'eau. Saler, poivrer, couvrir et laisser mijoter 10 min.

4 Répartir le mélange de fèves dans quatre plats creux résistants à la chaleur. Verser un œuf cru dans chaque plat, saler et poivrer.

5 Faire cuire au four jusqu'à ce que le blanc des œufs prenne Servir immédiatement avec du pain de campagne grillé.

Œufs diaboliques
uevos picantes

Faire durcir les œufs puis les écaler. Nettoyer les piments,
er et couper en deux. Couper le pédoncule, épépiner et couper
piments en dés.

Peler l'ail et les oignons. Couper les oignons en rondelles
piler l'ail dans un mortier.

Faire chauffer l'huile et faire revenir l'ail, le gingembre
'oignon, jusqu'à ce que l'oignon ait blondi. Ajouter le piment,
cumin, le sel et le sucre, et laisser cuire encore 3 min.

4 Laisser refroidir, puis transférer dans un mélangeur et mixer
finement. Ajouter progressivement le bouillon de légumes chaud
et la crème liquide. Transférer la préparation dans une casserole
et porter à ébullition.

5 Plonger les œufs dans le bouillon chaud, réduire le feu
et laisser mijoter environ 35 min. Servir les œufs chauds ou froids,
accompagnés de pain frais.

Pour 4 personnes
8 œufs
1 ou 2 piments forts verts
2 gousses d'ail
1 oignon
30 ml (2 c. à soupe) d'huile d'olive
10 ml (2 c. à thé) de gingembre râpé
5 ml (1 c. à thé) de cumin
sel
un peu de sucre
300 ml (1 ¼ t.) de bouillon de légumes
100 ml (⅓ t.) de crème liquide

*Préparation : env. 15 min
(plus temps de cuisson)*

Empanadas au thon
Empanadillas de atún

1 Faire chauffer le beurre avec la margarine, 75 ml (⅓ t.) d'eau et le vin, sans porter à ébullition.

2 Retirer la casserole du feu. Ajouter la farine et saler. Pétrir la pâte obtenue, couvrir et réserver 2 h au réfrigérateur. Étaler la pâte au rouleau et découper des cercles.

3 Faire blondir les oignons dans un peu d'huile. Mélanger le thon égoutté, les dés de tomate, la biscotte et le lait, jusqu'à obtention d'une farce. Saler la préparation et étaler sur les cercles de pâte. Former les empanadas et faire frire.

Empanadas au chorizo
Empanadillas de chorizo

1 Faire chauffer le beurre avec la margarine, 75 ml (⅓ t.) d'eau et le vin, sans porter à ébullition. Retirer la casserole du feu. Ajouter la farine et saler. Pétrir la pâte obtenue, couvrir et réserver 2 h au réfrigérateur.

2 Couper le chorizo en dés et mélanger avec 30 à 45 ml (2 à 3 c. à soupe) d'olive farcies au poivron émincées. Nettoyer le poivron, laver et couper en deux. Couper le pédoncule, épépiner et couper en dés. Mélanger avec le chorizo.

3 Étaler la pâte au rouleau et découper des cercles de 10 cm (4 po) de diamètre. Placer un peu de légumes sur une moitié de la pâte, rabattre l'autre moitié. Appuyer fortement sur le bord de la pâte à l'aide d'une fourchette. Faire frire les chaussons.

Empanadas à la tomate
Empanadillas de tomate

1 Préparer une pâte pour les empanadas avec 30 ml (2 c. à soupe) de beurre, la margarine, du sel et 75 ml (⅓ t.) d'eau, puis placer au réfrigérateur. Faire blondir l'oignon dans le beurre restant, ajouter la tomate et le poivron, et faire cuire. Incorporer les raisins secs, assaisonner de sel et de piment en poudre.

2 Étaler la pâte au rouleau et découper des cercles de 10 cm (4 po) de diamètre. Étaler la farce sur les cercles de pâte, former les empanadas et faire frire dans l'huile bouillante.

3 Passer les piments au robot et faire blondir avec les oignons et l'ail. Ajouter le concentré de tomates, le vinaigre et le sucre, et laisser mijoter 10 min.

mpanadas aux épinards
mpanadillas de espinacas

Faire chauffer le beurre avec la margarine, 75 ml (⅓ t.) ~~au~~ et le vin, sans porter à ébullition. Retirer la casserole du feu, ~~ajou~~ter la farine et saler. Pétrir la pâte obtenue, couvrir et réserver au réfrigérateur.

Peler l'ail et couper en dés. Hacher finement le chorizo. ~~Nett~~oyer les épinards, laver et hacher. Nettoyer le poivron, laver et ~~cou~~per en deux. Couper le pédoncule, épépiner et couper en dés.

3 Faire chauffer un peu d'huile et faire revenir l'ail et le chorizo. Ajouter les épinards et faire cuire environ 5 min. Laisser réduire le jus de cuisson et incorporer le poivron. Retirer du feu, laisser égoutter, saler et poivrer.

4 Étaler la pâte au rouleau et découper des cercles de 10 cm (4 po) de diamètre. Placer un peu de légumes sur une moitié de la pâte, rabattre l'autre moitié. Appuyer fortement sur le bord de la pâte à l'aide d'une fourchette. Faire chauffer l'huile et faire frire les empanadas.

Pour 4 personnes

30 ml (2 c. à soupe) de beurre

15 ml (1 c. à soupe) de margarine

75 ml (⅓ t.) de vin blanc

300 ml (1 ¼ t.) de farine

2 gousses d'ail

75 g (2 ½ oz) de chorizo coupé en dés

500 g (1 lb) d'épinards

1 poivron, huile pour la cuisson et la friture

sel, poivre

farine pour étaler la pâte

Préparation : env. 30 min (plus temps de refroidissement et de friture)

Légumes, champignons et salades

Un panier rempli de salades et de légumes très colorés : poivrons, tomates, artichauts et champignons, constituent la base de nombre de délicieux petits tapas.

Pour 4 personnes
500 g (1 lb) de champignons
2 à 5 gousses d'ail
½ bouquet de persil plat
2 ou 3 piments forts
45 ml (3 c. à soupe) de
vinaigre balsamique
30 ml (2 c. à soupe) d'huile
d'olive pressée à froid
sel
poivre fraîchement moulu

*Préparation : env. 15 min
(plus temps de cuisson
et de repos)*

Champignons marinés au piment
Champiñones con guindilla

1 Nettoyer les champignons, brosser et couper en fines tranches. Peler les gousses d'ail et hacher finement. Faire cuire les champignons 3 à 5 min dans une bonne quantité d'eau bouillante salée. Retirer de l'eau, laisser égoutter et mélanger avec l'ail dans un saladier.

2 Laver le persil, égoutter et hacher finement. Nettoyer les piments, laver et couper en deux. Couper le pédoncule, épépiner et hacher finement. Ajouter le piment aux champignons.

3 Bien mélanger le vinaigre, l'huile d'olive et le persil. Vérifier l'assaisonnement, saler et poivrer si nécessaire. Verser la vinaigrette sur les champignons et laisser mariner au moins 6 heures. Remuer de temps en temps les champignon ou secouer le saladier.

aux olives noires
Champiñones con aceitunas negras

1 Nettoyer les champignons, brosser et couper en fines tranches. Peler l'ail et hacher finement. Faire cuire les champignons 3 à 5 min dans de l'eau bouillante salée. Retirer de l'eau, laisser égoutter et mélanger avec l'ail dans un saladier.

2 Laver le persil, égoutter et hacher finement. Dénoyauter les olives, couper en rondelles et mélanger avec le persil. Bien mélanger le vinaigre, l'huile d'olive et le mélange persil-olives. Vérifier l'assaisonnement, saler et poivrer si nécessaire.

3 Laisser reposer la sauce et les champignons 6 heures dans un récipient bien fermé en remuant de temps en temps.

Pour 4 personnes
500 g (1 lb) de champignons
2 à 5 gousses d'ail
½ bouquet de persil plat
12 olives noires
45 ml (3 c. à soupe) de
vinaigre balsamique
30 ml (2 c. à soupe) d'huile
d'olive pressée à froid
sel
poivre fraîchement moulu

*Préparation : env. 10 min
(plus temps de cuisson
et de repos)*

Cœurs d'artichauts à la sauce tomate
corazones de alcachofa en salsa de tomate

Laisser égoutter les artichauts, couper en deux et réserver. ...er les oignons et l'ail, et hacher finement.

Ébouillanter les tomates 30 secondes, peler et couper en ...x. Couper le pédoncule, épépiner et couper en petits dés.

Faire chauffer l'huile, ajouter les oignons et l'ail, et faire ...dir. Ajouter les tomates et faire cuire environ 8 min à feu doux. ...rer du feu et laisser refroidir.

4 Mélanger le vinaigre de xérès et le xérès, puis ajouter l'huile d'olive en battant délicatement. Incorporer le mélange à la sauce tomate et ajouter les herbes hachées. Vérifier l'assaisonnement de la sauce tomate, saler et poivrer si nécessaire. Faire chauffer jusqu'à ce que la préparation épaississe.

5 Disposer les cœurs d'artichaut dans un plat de service et napper de sauce tomate. Couvrir le plat et réserver au moins 3 heures au réfrigérateur. Servir accompagné de pain de campagne.

Pour 4 personnes

env. 16 cœurs d'artichauts
en boîte

2 oignons

2 gousses d'ail

4 tomates

un peu d'huile
pour la cuisson

45 ml (3 c. à soupe) de
vinaigre de xérès

50 ml (¼ t.) de xérès sec

50 ml (¼ t.) d'huile d'olive

45 ml (3 c. à soupe) de
mélange d'herbes hachées,
par ex. basilic, marjolaine,
persil, thym

sel

1 pincée de sucre

poivre noir

*Préparation : env. 25 min
(plus temps de marinade
et de cuisson)*

45

Champignons aux pignons
champiñones con piñones

Nettoyer les champignons, brosser et couper en tranches. ...er les oignons et couper en rondelles.

Faire chauffer un peu d'huile dans une poêle et faire revenir ...oignons sans cesser de remuer.

Lorsque les oignons sont dorés, ajouter les champignons ...cuire environ 8 à 10 min. Saler et poivrer.

4 Faire griller à sec les pignons dans une autre poêle, en les retournant en permanence. Ajouter les pignons aux champignons et bien mélanger. Mouiller avec le xérès et mélanger.

5 Laver le persil, égoutter et hacher finement. En parsemer les champignons et servir.

Pour 4 personnes

750 g (1 ½ lb) de
champignons

2 oignons

huile d'olive pour
la cuisson

sel, poivre

60 g (¼ t.) de pignons

50 ml (¼ t.) de xérès sec

un peu de persil
pour la garniture

*Préparation : env. 15 min
(plus temps de cuisson)*

Pour 4 personnes
2 endives
1 gousse d'ail
huile d'olive pour la cuisson
2 ou 3 filets d'anchois
sel, poivre
un peu de menthe fraîche

*Préparation : env. 15 min
(plus temps de cuisson)*

Endives aux anchois
Endivias con anchoas

1 Nettoyer les endives, laver et cuire dans de l'eau salée environ 10 min, afin qu'elles restent fermes. Retirer de l'eau et laisser égoutter. Couper les endives en deux dans le sens de la longueur et laisser refroidir.

2 Peler l'ail et hacher très finement. Faire chauffer un peu d'huile d'olive dans une poêle et faire revenir l'ail environ 1 min.

3 Rincer les filets d'anchois, égoutter et mixer très finement. Ajouter à l'ail dans la poêle et mélanger.

4 Mettre les demi-endives dans la poêle et faire braiser envi 5 min. Saler et poivrer.

5 Laver la menthe fraîche, égoutter et hacher finement. Disser les endives dans la sauce, parsemer de menthe et servir.

46

Olives marinées
ceitunas aliñadas

Égoutter les olives dans une passoire. Peler l'oignon et
her finement. Nettoyer l'ail non pelé et écraser à l'aide d'une
e de couteau.

Inciser les olives égouttées jusqu'au noyau dans le sens
la longueur.

Placer les olives dans une casserole avec l'oignon, l'ail,
aurier et le vinaigre, et couvrir d'eau. Verser l'huile d'olive
s l'eau.

4 Porter les olives à ébullition et laisser mijoter à feu doux
4 à 6 h, jusqu'à ce que les olives soient cuites et l'eau presque
entièrement évaporée.

5 Transférer les olives avec leur jus de cuisson dans un bocal,
fermer hermétiquement et laisser macérer pendant quelques jours.

Pour 4 personnes

env. 250 ml (1 tasse) de
grosses olives en bocal

1 gros oignon

3 gousses d'ail

1 feuille de laurier

45 ml (3 c. à soupe) d'huile
d'olive

45 ml (3 c. à soupe) de
vinaigre de vin rouge

*Préparation : env. 15 min
(plus temps de cuisson
et de macération)*

Pommes de terre au chorizo
Patatas con chorizo

1. Brosser et laver les pommes de terre. Faire cuire 15 à 20 min, complètement immergées dans de l'eau très salée, puis vider l'eau.

2. Couper le chorizo et le bacon maigre en fines tranches, et faire revenir dans un peu d'huile. Ajouter l'ail et faire cuire 1 min, puis incorporer le persil. Transférer le mélange sur les pommes de terre.

3. Saler et remuer le récipient de cuisson jusqu'à ce que les ingrédients soient bien mélangés. Servir immédiatement.

Pommes de terre à l'ail
Patatas al ajillo

1. Brosser et laver les pommes de terre. Faire cuire 15 à 20 min, complètement immergées dans de l'eau très salée, puis vider l'eau.

2. Peler l'ail et l'oignon, et hacher finement. Laver le romarin, égoutter, effeuiller et hacher finement. Faire chauffer l'huile d'olive. Ajouter l'ail, l'oignon et le romarin, et faire dorer sans cesser de remuer.

3. Transférer le tout sur les pommes de terre. Saupoudrer de sel et de paprika en poudre. Remuer le récipient de cuisson jusqu'à ce que les pommes de terre soient bien mélangées avec l'ail et le paprika en poudre. Servir les pommes de terres immédiatement.

Pommes de terre au poivron
Patatas con pimiento

1. Brosser et laver les pommes de terre. Faire cuire 15 à 20 min, complètement immergées dans de l'eau très salée, puis vider l'eau.

2. Faire chauffer l'huile d'olive. Ajouter l'ail, les échalotes, le poivron et le persil, et faire dorer sans cesser de remuer. Transférer le tout sur les pommes de terre et saler.

3. Remuer le récipient de cuisson jusqu'à ce que les pommes de terre soient bien mélangées à la garniture. Servir immédiatement.

Pour 4 personnes

750 g (1 ½ lb) de petites pommes de terre à chair ferme

sel marin

100 g (3 ½ oz) de chorizo

125 g (4 ½ oz) de bacon maigre

huile pour la cuisson

3 gousses d'ail hachées

½ bouquet de persil haché

Préparation : env. 25 min (plus temps de cuisson)

Pour 4 personnes

750 g (1 ½ lb) de petites pommes de terre à chair ferme

sel marin

6 gousses d'ail

1 oignon

90 ml (6 c. à soupe) d'huile d'olive

⅓ de bouquet de romarin

15 ml (1 c. à soupe) de paprika doux en poudre

Préparation : env. 25 min

Pour 4 personnes

750 g (1 ½ lb) de petites pommes de terre à chair ferme

sel marin

45 ml (3 c. à soupe) d'huile d'olive

5 échalotes hachées

2 gousses d'ail hachées

⅓ de bouquet de persil haché

1 poivron vert coupé en dés

Préparation : env. 25 min (plus temps de cuisson)

Pommes de terre en robe des champs
Patatas arrugadas

Brosser et laver les pommes de terre, et placer dans une casserole contenant de l'eau très salée. Ajouter autant de sel que nécessaire pour que les pommes de terre flottent. Si elles coulent, ajouter du sel. Porter à ébullition et faire cuire 15 à 20 min.

Pendant ce temps, peler l'ail, hacher finement et incorporer à la mayonnaise. Laver le persil, secouer et hacher finement. Ajouter à la mayonnaise et mélanger.

3 Vider l'eau des pommes de terre, saler dans la casserole et remettre sur le feu. Laisser le sel se cristalliser sur les pommes de terre à feu doux, sans cesser de remuer la casserole.

4 Dès que le sel est cristallisé, couvrir la casserole avec un torchon et laisser reposer 5 min. Servir les pommes de terre avec l'aïoli.

Pour 4 personnes

750 g (1 ½ lb) de petites pommes de terre à chair ferme

sel marin

env. 150 ml (⅔ t.) de mayonnaise

3 gousses d'ail

⅓ de bouquet de persil

Préparation : env. 25 min (plus temps de cuisson)

49

Pour 4 personnes

huile pour la plaque de four

4 patates douces

2 blancs d'œufs

45 ml (3 c. à soupe) de piment fort en poudre

1 pincée de piment

2 têtes d'ail

2 poivrons verts

15 ml (1 c. à soupe) de cumin moulu

250 ml (1 tasse) d'huile d'olive

1 bouquet de persil plat

un peu de vinaigre

sel, poivre

Préparation : env. 15 min (plus temps de cuisson)

Chips boniato

au mojo verde

Boniatos fritos con mojo verde

1 Préchauffer le four à 220 °C (425 °F). Huiler une plaque de cuisson au four. Peler les patates douces, laver et émincer en fines tranches. Bien battre les blancs d'œufs avec 30 ml (2 c. à soupe) de piment fort en poudre et le piment. Plonger les tranches de patate douce et bien mélanger.

2 Disposer les chips sur la plaque huilée. Faire dorer environ 30 à 35 min. Pendant ce temps, peler l'ail pour le mojo verde et passer au mélangeur. Parer les poivrons et couper en deux, puis en gros morceaux.

3 Mélanger les poivrons avec le cumin et l'ail. Mixer le tout avec l'huile. Parer le persil, ciseler grossièrement et mixer avec la purée. Rectifier l'assaisonnement en ajoutant du vinaigre et du sel. Retirer les patates douces du four, saler, poivrer et saupoudrer avec le piment fort en poudre restant. Servir avec le mojo verde.

nature

Boniatos fritos

1 Préchauffer le four à 220 °C (425 °F). Huiler une plaque de cuisson au four. Peler les patates douces, laver et émincer en fines tranches.

2 Bien battre les blancs d'œufs avec le piment fort en poudre et le piment. Plonger les tranches de patate douce et bien mélanger.

3 Disposer les chips sur la plaque huilée. Faire dorer environ 30 à 35 min au four. Retirer du four, saler et poivrer.

Pour 4 personnes

huile pour la plaque de four

4 patates douces

2 blancs d'œufs

15 à 30 ml (1 à 2 c. à soupe) de piment fort en poudre

1 pincée de piment

sel, poivre

Préparation : env. 15 min (plus temps de cuisson)

...sperges sauvages

...ntas de espárragos rebozadas

Nettoyer les asperges, laver et couper les pointes à environ ...cm (5,5 po). Utiliser le reste de l'asperge pour d'autres plats.

Faire bouillir un peu d'eau dans un fait-tout et saler. Faire ...e ensuite les pointes d'asperges 2 à 3 min afin qu'elles restent ...mes. Retirer de l'eau et égoutter soigneusement.

Battre l'œuf vigoureusement avec le lait. Faire chauffer ...ile dans une poêle.

4 Rouler les pointes d'asperges dans la farine, plonger dans le mélange œuf-lait et faire dorer immédiatement dans de l'huile d'olive très chaude.

5 Retirer les asperges à l'aide d'une écumoire et laisser égoutter sur du papier absorbant. Saler les pointes d'asperges dorées, poivrer et servir très chaud.

Pour 4 personnes

600 g (1,3 lb) d'asperges sauvages ou d'asperges vertes

1 œuf

15 ml (1 c. à soupe) de lait

90 ml (6 c. à soupe) d'huile d'olive

30 ml (2 c. à soupe) de farine

sel, poivre

Préparation : env. 15 min (plus temps de cuisson)

53

...rochettes de bananes, dattes et pruneaux

...ocaditos de plátano, dátil y ciruela pasa

Faire tremper les pruneaux secs 2 h dans de l'eau chaude.

Faire dorer les amandes entières dans une poêle avec un ...de beurre chaud, puis réserver.

Jeter l'eau des pruneaux, laisser égoutter et sécher à ...de de papier absorbant. Farcir avec des amandes et quelques ...aches.

4 Épépiner les dattes et les farcir également d'amandes et de pistaches. Peler les bananes et couper en morceaux.

5 Envelopper tous les fruits dans une demi-tranche de bacon. Piquer le bacon d'une brochette en bois. Disposer les fruits sur une plaque de four.

6 Faire cuire environ 5 à 10 min au four préchauffé à 200 °C (400 °F) jusqu'à ce que le bacon brunisse. Consommer les brochettes de préférence chaudes ou tièdes.

Pour 4 personnes

12 pruneaux secs

env. 12 amandes entières

beurre

45 ml (3 c. à soupe) de pistaches

10 dattes

2 bananes fermes

env. 125 g (4 oz) de bacon en fines tranches

brochettes en bois

Préparation : env. 15 min (plus temps de cuisson et de repos)

Pour 4 personnes

2 concombres

45 ml (3 c. à soupe) d'huile d'olive

1 gousse d'ail

1 piment doux rouge

15 ml (1 c. à soupe) de vinaigre de xérès

15 ml (1 c. à soupe) de câpres en bocal

5 ml (1 c. à thé) de sucre

2 amandes hachées

sel, poivre

un peu de persil pour la garniture

*Préparation : env. 15 min
(plus temps de cuisson)*

Concombre aigre-doux
Ensalada agridulce de pepino

1 Parer les concombres et sécher, puis couper en petits dés.

2 Faire chauffer l'huile dans une poêle et faire revenir les dés de concombre 4 min. Baisser le feu. Peler l'ail, presser et incorporer aux concombres.

3 Nettoyer le piment, laver et couper en deux. Couper le pédoncule, épépiner et couper en petits dés. Ajouter dans la poêle. Mélanger et poursuivre la cuisson 3 min.

4 Verser lentement le vinaigre, égoutter les câpres puis les incorporer. Compléter avec le sucre et 30 ml (2 c. à soupe) d'e■

5 Faire griller les amandes hachées à sec dans une poêle. Ajouter aux autres ingrédients et mélanger.

6 Saler et poivrer. Couvrir et laisser cuire 5 min. Laver le pe■ égoutter et hache finement. Parsemer les concombres avec le p■ et servir immédiatement.

Artichauts farcis
Icachofas rellenas

Préchauffer le four à 180 °C (350 °F). Découper deux cles de la taille des cœurs d'artichauts dans le pain de mie.

Rincer les artichauts, laisser égoutter dans une passoire s faire sécher sur du papier absorbant. Égoutter le thon dans e passoire.

Peler l'ail. Verser l'huile d'olive dans une coupelle, presser l puis l'ajouter. Bien mélanger.

4 Badigeonner les cercles de pain d'huile aillée. Disposer le pain sur une plaque de four et cuire des deux côtés au four pré-chauffé, jusqu'à ce qu'il soit croustillant.

5 Hacher finement les tomates à l'aide d'un couteau et les incorporer au thon. Laver le persil, égoutter et hacher finement. Ajouter le persil aux tomates et mélanger. Farcir les cœurs d'ar-tichauts avec le mélange et disposer sur le pain. Parsemer de ciboulette et servir.

Pour 4 personnes

4 grosses tranches de pain de mie

8 cœurs d'artichauts en boîte

100 g (3 ½ oz) de thon au naturel en boîte

1 gousse d'ail

45 ml (3 c. à soupe) d'huile d'olive

45 ml (3 c. à soupe) de tomates pelées en boîte

3 brins de persil

15 ml (1 c. à soupe) de ciboulette ciselée

Préparation : env. 15 min (plus temps de cuisson)

Poivrons farcis aux olives
Pimientos rellenos de aceitunas

1   Faire cuire les poivrons dans de l'huile, couper le sommet
et épépiner. Peler les oignons et les gousses d'ail, et hacher finement. Mélanger avec les olives, les câpres finement hachées
et les raisins secs.

2   Épépiner le piment sec, réduire en poudre et ajouter
à la farce.

3   Laisser mijoter avec la pâte de tomates et un peu de sel,
jusqu'à ce que le jus de cuisson soit presque entièrement évaporé.
Farcir les poivrons avec cette préparation et bien laisser macérer.

Poivrons au fromage de chèvre
Rollitos de pimiento con queso de cabra

1   Nettoyer les poivrons, couper en quatre dans le sens de
la longueur. Faire chauffer avec l'ail dans une poêle contenant
45 ml (3 c. à soupe) d'huile d'olive. Couvrir et faire braiser les
lanières de poivron environ 10 min. Laisser refroidir dans le jus
de cuisson.

2   Écraser le fromage de chèvre et mélanger avec le fromage
frais. Incorporer les tomates et l'aneth. Saler et poivrer.

3   Étaler le fromage sur les lanières de poivron et rouler celles-
ci. Piquer les rouleaux à l'aide de piques à cocktail. Arroser de jus
de cuisson et laisser mariner au moins 1 h.

Poivrons au fromage de brebis
Rollitos de pimiento con queso de oveja

1   Nettoyer les poivrons, couper en quatre et faire revenir avec
l'ail dans de l'huile d'olive. Couvrir et cuire environ 10 min.

2   Écraser le fromage de brebis et mélanger avec le fromage
frais et le yaourt. Faire griller les pignons à sec dans une poêle.
Retirer du feu et incorporer au fromage.

3   Ajouter les tomates mondées et coupées en dés, ainsi que
le fromage râpé. Saler et poivrer. Remplir les poivrons avec le
mélange, rouler et fermer à l'aide d'une pique à cocktail. Arroser
avec un peu de jus de cuisson et laisser mariner au moins 1 h.

oivrons farcis
llitos de pimiento

Nettoyer les poivrons, laver et couper en deux. Couper
doncule et épépiner. Couper les demi-poivrons en quatre dans
ns de la longueur.

Faire chauffer 45 ml (3 c. à soupe) d'huile d'olive dans
poêle. Faire braiser les lanières de poivron environ 10 min à
ert. Laisser refroidir dans le jus de cuisson. Pendant ce temps,
le zeste de citron et sécher soigneusement. Râper le zeste
esser le citron.

3   Émietter le fromage de chèvre. Ajouter et mélanger le zeste
de citron avec 15 ml (1 c. à soupe) d'huile d'olive et éventuellement un peu de jus de cuisson. Incorporer l'origan au fromage.
Rectifier l'assaisonnement en ajoutant du sel, un peu de jus de
citron et beaucoup de poivre.

4   Laisser égoutter un peu les poivrons refroidis. Étaler le
fromage sur les lanières de poivron et rouler celles-ci. Fermer les
rouleaux à l'aide de piques à cocktail. Disposer les rouleaux sur
un plaque, couvrir et laisser macérer au moins 1 h.

Pour 4 personnes
2 gros poivrons rouges
60 ml (¼ t.) d'huile d'olive
jus et zeste
d'un demi-citron
175 g (6 oz) de fromage
de chèvre doux
2 brins d'origan
poivre noir
piques à cocktails
pour servir

*Préparation : env. 30 min
(plus temps de cuisson
et de macération)*

58

Flamenquines

aux carottes
Flamenquines con zanahoria

1 Peler les carottes. Cuire à point 5 à 8 min dans de l'eau salée. Retirer de l'eau et égoutter.

2 Recouvrir les tranches de jambon de tranches de fromage. Disposer les carottes par-dessus et parsemer de persil. Rouler fermement et couper en bouchées.

3 Battre les œufs, rouler les bouchées d'abord dans l'œuf puis dans la chapelure. Faire chauffer l'huile, faire frire les bouchées en plusieurs fois ; le fromage doit fondre. Retirer de l'huile à l'aide d'une écumoire, égoutter et servir chaud piqués sur des bâtonnets en bois.

aux asperges vertes
Flamenquines con espárrago triguero

1 Nettoyer les asperges, laver et peler. Cuire environ 10 min dans un peu d'eau salée pour les garder fermes. Retirer de l'eau et égoutter.

2 Recouvrir les tranches de jambon de tranches de fromage. Disposer les asperges égouttées par-dessus et parsemer de persil haché. Rouler fermement et couper en bouchées.

3 Battre les œufs, rouler les bouchées d'abord dans l'œuf puis dans la chapelure. Faire chauffer l'huile, faire frire les bouchées en plusieurs fois ; le fromage doit fondre. Retirer, laisser égoutter sur du papier absorbant et servir chaud piqués sur des bâtonnets en bois.

ubergines à la cannelle
erenjenas con canela

Préchauffer le four à 200 °C (400 °F). Nettoyer et laver aubergines. Les couper en deux dans le sens de la longueur et évider. Hacher finement la chair des aubergines et la mélanger c le hachis d'agneau.

Peler l'oignon et l'ail, hacher finement et ajouter à la farce. rporer l'œuf, le persil et la cannelle. Pétrir soigneusement la e, et saler et poivrer généreusement.

3 Remplir les demi-aubergines avec la farce et garnir avec le fromage fraîchement râpé.

4 Faire chauffer l'huile dans un plat à gratin. Disposer les aubergines, puis couvrir le plat de papier d'aluminium.

5 Faire cuire les aubergines environ 40 min au four. Après 30 min, retirer le papier d'aluminium pour faire gratiner la farce.

Pour 4 personnes
4 petites aubergines
200 g (7 oz) de viande haché d'agneau
1 oignon
3 gousses d'ail
1 œuf
30 ml (2 c. à soupe) de persil haché
2,5 ml (½ c. à thé) de cannelle moulue
sel, poivre
150 g (5 oz) de manchego fraîchement râpé
125 ml (½ t.) d'huile d'olive

Préparation : env. 20 min (plus temps de cuisson)

61

Champignons farcis
hampiñones rellenos

Préchauffer le four à 200 °C (400 °F). Nettoyer les mpignons et brosser. Détacher et hacher les pieds en petits rceaux. Arroser les champignons avec un peu de jus de citron r éviter qu'ils ne noircissent.

Peler l'ail et hacher finement. Faire chauffer 30 ml (2 c. à pe) de beurre dans une poêle et faire revenir l'ail. Ajouter les ds des champignons hachés et faire cuire 5 min sans cesser emuer.

3 Retirer la poêle du feu et ajouter le cognac, la chapelure et le persil haché. Rectifier éventuellement l'assaisonnement en ajoutant du sel et du poivre.

4 Disposer les chapeaux des champignons dans un plat à gratin. Remplir les champignons avec la farce. Répartir le beurre restant dans le plat.

5 Faire dorer les champignons environ 12 min au four.

Pour 4 personnes
12 champignons de taille moyenne
jus de citron
4 gousses d'ail
45 ml (3 c. à soupe) de beurre
15 ml (1 c. à soupe) de cognac
60 ml (¼ t.) de chapelure
60 ml (¼ t.) de persil haché
sel, poivre

Préparation : env. 25 min (plus temps de cuisson)

Olives à l'orange
Aceitunas a la naranja

Pour 4 personnes

200 g (7 oz) d'olive noires ou vertes en bocal

1 orange non traitée

1 citron non traité

poivre noir

*Préparation : env. 10 min
(plus temps de macération)*

1 Égoutter soigneusement les olives dans une passoire, puis les transférer dans un récipient hermétique. Laver l'orange et le citron à l'eau chaude, bien sécher et râper l'écorce.

2 Répartir le zeste de citron et d'orange sur les olives.

3 Presser le citron et l'orange, ajouter 30 à 45 ml (2 à 3 c. à soupe) de jus de citron et le jus d'orange sur les olives.

4 Saupoudrer avec beaucoup de poivre noir fraîchement moulu. Refermer le récipient hermétiquement et agiter vigoureusement.

5 Laisser les olives mariner au moins 2 jours avant de consommer. Secouer le récipient de temps en temps.

oulettes de poireaux
uñuelos de puerro

Nettoyer les poireaux, laver soigneusement et couper ondelles. Faire chauffer l'huile dans une poêle et faire cuire oireau environ 5 min.

Verser progressivement le bouillon de volaille et faire cuire à 15 min.

Faire fondre le beurre dans un fait-tout et confectionner oux avec la farine. Ajouter le lait sans cesser de remuer. er à ébullition et laisser la sauce cuire environ 10 min.

4 Ajouter le poireau et le jus de cuisson dans la sauce, mélanger et laisser refroidir.

5 Former des boulettes de la taille d'une noix avec la préparation. Tremper les boulettes dans l'œuf battu, puis dans la chapelure.

6 Faire chauffer l'huile de friture et faire dorer les boulettes. Retirer de l'huile à l'aide d'une écumoire et laisser égoutter sur du papier absorbant. Parsemer de persil et servir.

Pour 4 personnes

500 g (1 lb) de poireaux

30 ml (2 c. à soupe) d'huile d'olive

75 ml (5 c. à soupe) de bouillon de volaille

30 ml (2 c. à soupe) de beurre

30 ml (2 c. à soupe) de farine

150 ml (⅔ t.) de lait

1 œuf

chapelure

huile de friture

23 ml (1 ½ c. à soupe) de persil plat haché

Préparation : env. 10 min (plus temps de cuisson)

Pour 4 personnes

4 poivrons rouges

45 à 60 ml (3 à 4 c. à soupe) d'huile d'olive

15 ml (1 c. à soupe) de jus de citron

sel, poivre

4 gousses d'ail

piques à cocktail pour servir

Préparation : env. 15 min (plus temps de cuisson et de macération)

Pour 4 personnes

500 g (1 lb) d'échalotes

90 ml (6 c. à soupe) d'huile d'olive

60 ml (¼ t.) de vinaigre de xérès

250 ml (1 tasse) de xérès sec

1 piment fort séché

1 brin de thym

1 feuille de laurier

5 ml (1 c. à thé) de grains de poivre noir

5 ml (1 c. à thé) de sel

sucre

Préparation : env. 15 min (plus temps de cuisson et de macération)

Pour 4 personnes

12 petits cœurs d'artichauts en bocal

1 oignon

45 ml (3 c. à soupe) d'huile d'olive

1 poivron vert coupé en dés

1 gousse d'ail

sel, poivre

1 brin de thym

200 ml (¾ t.) de xérès

15 ml (1 c. à soupe) de vinaigre de xérès

100 g (3 ½ oz) de jambon serrano

Préparation : env. 20 min (plus temps de macération)

Poivrons marinés
Pimientos asados

1   Faire cuire les poivrons environ 40 min au four préchauffé à 230 °C (450 °F) jusqu'à ce que la peau commence à noircir.

2   Retirer du four, couvrir d'un film alimentaire et laisser refroidir. Peler les poivrons, épépiner et couper en morceaux, en réservant le jus. Mélanger le jus avec l'huile d'olive, le jus de citron, du poivre et du sel. Peler les gousses d'ail, presser et incorporer à la sauce.

3   Mettre les poivrons dans la sauce, couvrir et laisser mariner au moins 2 h. Servir piqués sur des bâtonnets en bois.

Échalotes marinées
Cebollitas en vinagre

1   Peler les échalotes. Faire chauffer l'huile dans une poêle et faire suer les échalotes entières sans cesser de remuer. Ajouter le vinaigre de xérès et le xérès. Épépiner le piment et réduire en poudre fine. Ajouter aux échalotes et mélanger délicatement.

2   Laver le thym, égoutter et ajouter aux échalotes. Concasser grossièrement les grains de poivre et ajouter aux échalotes avec le laurier. Vérifier l'assaisonnement et compléter avec un peu de sel et de sucre.

3   Couvrir et laisser mijoter environ 30 min. Retirer du feu et laisser les échalotes refroidir dans la poêle. Attendre 24 h avant de consommer. Servir accompagné de pain frais.

Artichauts marinés
Alcachofas rehogadas

1   Égoutter les cœurs d'artichauts. Peler l'oignon, hacher et faire blondir dans de l'huile. Ajouter le poivron. Peler l'ail, presser et incorporer au mélange. Saler et poivrer.

2   Laver le thym et ajouter au mélange. Ajouter le xérès et le vinaigre de xérès, et porter à ébullition. Ajouter les cœurs d'artichauts et cuire 15 min à feu doux.

3   Couper le jambon serrano en lanières étroites et incorporer à la préparation. Transférer les artichauts avec le jus de cuisson dans un saladier et laisser refroidir.

Champignons marinés
hampiñones al jerez

Nettoyer les champignons et brosser, puis faire revenir
s de l'huile.

Mouiller avec le vin blanc, le xérès et le jus de citron.
ser mijoter environ 5 min.

Pendant ce temps, peler l'ail, presser et incorporer
préparation. Saler et poivrer.

4 Nettoyer le piment, laver et couper en deux. Couper
le pédoncule, épépiner et couper en rondelles fines.

5 Incorporer aux champignons avec le persil. Servir les
champignons chauds ou froids.

Pour 4 personnes
500 g (1 lb) de champignons
15 ml (1 c. à soupe) d'huile
500 ml (2 t.) de vin blanc
75 ml (5 c. à soupe) de xérès
15 ml (1 c. à soupe) de jus
de citron
2 ou 3 gousses d'ail
sel, poivre
1 piment doux
45 ml (3 c. à soupe) de
persil haché

*Préparation : env. 15 min
(plus temps de cuisson)*

Pour 4 personnes

200 g (7 oz) d'olive vertes en bocal

75 g (2 ½ oz) de fenouil

quelques feuilles de fenouil

6 grains de coriandre

1 gousse d'ail

15 ml (1 c. à soupe) d'huile d'olive

15 ml (1 c. à soupe) de jus de citron

sel, poivre noir

Préparation : env. 10 min (plus temps de macération)

Olives marinées

au fenouil

Aceitunas al hinojo

1 Égoutter les olives, puis les mettre dans un saladier. Émincer très finement le fenouil. Laver les feuilles de fenouil, égoutter et hacher très finement. Ajouter le fenouil et les feuilles aux olives.

2 Concasser la coriandre dans un mortier, puis incorporer aux olives. Peler l'ail, hacher finement et mélanger avec l'huile d'olive. Ajouter le jus de citron.

3 Assaisonner l'huile avec du sel et du poivre fraîchement moulu, puis verser sur les olives. Mélanger soigneusement et transférer dans un récipient hermétique. Laisser macérer au moins 48 h.

à la coriandre

Aceitunas al cilantro

1 Égoutter les olives, puis les mettre dans un saladier. Concasser la coriandre dans un mortier, puis incorporer aux olives.

2 Peler l'ail, hacher finement et mélanger avec l'huile d'olive. Ajouter le jus de citron.

3 Assaisonner l'huile avec du sel et du poivre fraîchement moulu, puis verser sur les olives. Mélanger soigneusement et transférer dans un récipient hermétique. Laisser macérer au moins 48 h.

Pour 4 personnes

200 g (7 oz) d'olives vertes en bocal

10 grains de coriandre

1 gousse d'ail

15 ml (1 c. à soupe) d'huile d'olive

15 ml (1 c. à soupe) de jus de citron

sel, poivre noir

Préparation : env. 10 min (plus temps de macération)

Dattes au bacon

átiles rellenos con bacón

Faire préchauffer le four à 180 °C (350 °F). Dénoyauter dattes et inciser légèrement dans le sens de la longueur. Couper romage en 12 morceaux.

Laver l'orange à l'eau chaude, sécher et retirer un peu de te à l'aide d'un canneleur. Remplir les dattes de fromage et de te d'orange, et saupoudrer avec un peu de piment de Cayenne.

Envelopper chaque datte avec une tranche de bacon maintenir à l'aide d'une branche de romarin.

4 Disposer les dattes sur une plaque de four, arroser d'un filet d'huile et faire cuire 10 min au four.

5 Arroser les dattes chaudes de jus de citron, parsemer de grains de poivre rouge et servir chaud.

Pour 4 personnes

12 dattes fraîches

125 g (4 oz) de fromage de chèvre doux

1 orange

1 pincée de piment de Cayenne

sel marin

12 petites tranches de bacon

12 brins de romarin

30 ml (2 c. à soupe) d'huile

45 ml (3 c. à soupe) de jus de citron

grains de poivre rouge

Préparation : env. 15 min (plus temps de cuisson)

alade russe

nsaladilla rusa

Peler les pommes de terre, les carottes et le chou-rave. er les légumes et couper en petits morceaux. Faire cuire les umes l'un après l'autre dans un peu d'eau salée bouillante, veillant à ce qu'ils restent croquants.

Ébouillanter les petits pois pendant 1 min. Laver le poivron, toyer et couper en fines lanières. Égoutter les câpres. Faire cir 3 œufs, puis les hacher.

3 Bien mélanger le jaune d'œuf avec du sel, du poivre, le jus et le zeste du citron. Ajouter l'huile goutte à goutte sans cesser de remuer jusqu'à ce que la mayonnaise prenne. Vérifier l'assaisonnement en ajoutant du sel et du poivre.

4 Mélanger avec les légumes et les câpres, laisser la salade s'imprégner. Parsemer avec le persil et les œufs hachés.

Pour 4 personnes

3 petites pommes de terre

1 carotte

1 petit chou-rave (Kohlrabi)

sel, poivre

125 ml (½ t.) de petits pois surgelés

1 poivron rouge

15 ml (1 c. à soupe) de câpres

3 œufs

1 jaune d'œuf

jus et zeste râpé d'un demi-citron non traité

env. 150 ml (⅔ t.) d'huile

15 ml (1 c. à soupe) de persil haché

Préparation : env. 30 min (plus temps de cuisson)

Pour 4 personnes

400 g (13 oz) d'asperges vertes très fines

200 ml (¾ t.) de bouillon de volaille

12 crevettes prêtes à l'emploi

30 ml (2 c. à soupe) d'huile d'olive pressée à froid

10 ml (2 c. à thé) de jus de citron

sel, poivre

5 ml (1 c. à thé) de persil haché

2,5 ml (½ c. à thé) de thym

1 tomate

2 ou 3 champignons de taille moyenne

Préparation : env. 20 min (plus temps de cuisson et de macération)

Asperges vertes aux crevettes
Espárragos trigueros con gambas

1 Parer les asperges. Mélanger le bouillon de volaille et 100 ml (⅓ t.) d'eau, et porter à ébullition. Plonger les asperges dans le bouillon, couvrir et laisser cuire 5 min afin qu'elles restent légèrement fermes.

2 Retirer les asperges cuites à l'aide d'une écumoire. Porter le bouillon de cuisson à ébullition et faire cuire les crevettes 2 min. Retirer du bouillon, laisser refroidir puis décortiquer.

3 Mélanger l'huile avec le jus de citron, le sel et le poivre, et incorporer les herbes. Mettre les asperges et les crevettes dans un plat, couvrir et réserver 2 h au réfrigérateur.

4 Ébouillanter les tomates 30 secondes, peler et couper en deux. Couper la base du pédoncule, épépiner et couper en petits dés.

5 Nettoyer les champignons, brosser et couper en tranches.

6 Disposer les asperges avec les crevettes, garnir avec les tomates en dés et les champignons en tranches. Arroser avec un filet de sauce et servir à température ambiante.

omates cerises séchées et marinées

omatitos secos

Préchauffer le four à 120 °C (250 °F). Nettoyer les
nates, laver et essuyer. Couper les tomates en deux et
poser sur une plaque de four, face coupée vers le haut.

Saupoudrer les demi-tomates de sel marin. Laisser sécher
moins 6 h au four, en retournant une fois à mi-cuisson.

Lorsque les tomates sont complètement desséchées,
rer du four et laisser refroidir.

4 Mettre les tomates refroidies dans une terrine, couvrir
d'eau bouillante et laisser reposer 10 min. Égoutter les tomates
et les éponger avec précaution à l'aide de papier absorbant.
Mélanger les tomates avec les graines de fenouil et transférer
dans un bocal hermétique.

5 Émietter le piment et ajouter aux tomates. Remplir le bocal
avec autant d'huile d'olive que nécessaire afin que les tomates
soient recouvertes. Fermer le bocal et laisser mariner au moins
24 h avant de servir.

Pour 4 personnes

**250 g (8 oz) de tomates
cerises**

gros sel marin

**15 ml (1 c. à soupe) de
graines de fenouil**

**2 piments doux rouges
séchés**

huile d'olive

piques à cocktail pour servir

*Préparation : env. 10 min
(plus temps de séchage
et de repos)*

Pour 4 personnes

2 aubergines

sel

huile pour la grille de four

3 gousses d'ail

45 ml (3 c. à soupe) de chapelure

45 ml (3 c. à soupe) de fromage fraîchement râpé

45 ml (3 c. à soupe) d'huile d'olive

Préparation : env. 20 min (plus temps de cuisson)

Aubergines grillées
Berenjenas asadas

1   Nettoyer les aubergines, laver et couper en tranches de 1 cm (½ po) d'épaisseur dans le sens de la longueur. Saler et laisser dégorger 15 min. Rincer et sécher soigneusement.

2   Faire griller les tranches 10 à 15 min au four préchauffé à 220 °C (425 °F) sur une grille huilée. Peler l'ail et hacher finement. Mélanger avec la chapelure, le fromage et l'huile d'olive.

3   Retirer les tranches d'aubergine, retourner et garnir avec le mélange précédent. Remettre au four jusqu'à ce que les tranches d'aubergines soient gratinées et servir.

Pour 4 personnes

3 petites courgettes

huile pour la grille de four

3 gousses d'ail

45 ml (3 c. à soupe) de menthe fraîchement hachée

45 à 75 ml (3 à 5 c. à soupe) de vinaigre balsamique

45 à 75 ml (3 à 5 c. à soupe) d'huile d'olive pressée à froid

Préparation : env. 20 min (plus temps de cuisson)

Tranches de courgette grillées
Calabacín asado

1   Nettoyer les courgettes, laver et couper en tranches de 1 cm (½ po) d'épaisseur. Faire griller environ 10 min sur une grille huilée au four préchauffé à 220 °C (425 °F). Retourner de temps en temps.

2   Peler les gousses d'ail, hacher finement et mélanger avec la menthe fraîchement hachée. Passer les tranches de courgette dans le mélange ail-menthe et disposer dans un plat à gratin. Saler et poivrer.

3   Arroser les courgettes avec le vinaigre balsamique et l'huile d'olive pressée à froid. Couvrir et laisser mariner au moins 2 à 3 jours au réfrigérateur.

Pour 4 personnes

1 poivron rouge et 1 vert pelés

4 tomates italiennes mondées

2 petites courgettes

un peu d'huile

2 gousses d'ail

45 ml (3 c. à soupe) d'huile

Préparation : env. 20 min (plus temps de cuisson)

Légumes grillés
Verdura a la plancha

1   Épépiner les poivrons pelés et hacher très finement la pulpe. Couper les tomates mondées et les courgettes en tranches épaisses.

2   Saler les tomates, huiler les courgettes et disposer sur une grille. Faire griller environ 5 à 10 min au four préchauffé à 220 °C (425 °F) jusqu'à ce que les légumes deviennent tendres. Retourner une fois en cours de cuisson.

3   Peler l'ail, mélanger avec l'huile et ajouter le poivron. Répartir la préparation sur les légumes et laisser refroidir.

champignons grillés
hampiñones asados

Laver le citron vert et essuyer. Râper l'écorce et presser ron. Nettoyer le piment, laver et couper en deux. Couper doncule, épépiner et hacher en petits morceaux.

Peler l'ail et hacher finement. Mélanger le zeste et le jus tron, le piment, l'ail et l'huile d'olive dans un saladier. Laver rsil. Égoutter, hacher finement et ajouter à la sauce. Bien nger, saler et poivrer, puis réserver.

3 Préchauffer le gril du four. Nettoyer les champignons, brosser et disposer dans un plat à gratin. Faire griller les champignons environ 4 min sous le gril du four, jusqu'à ce qu'ils rendent du jus.

4 Retourner les champignons et faire griller encore 4 min. Transférer les champignons cuits à point dans un saladier préchauffé et arroser avec la sauce. Laisser refroidir les champignons à température ambiante et servir.

Pour 4 personnes
½ citron vert
1 piment doux
3 gousses d'ail
75 ml (⅓ t.) d'huile d'olive pressée à froid
⅓ de bouquet de persil
16 gros champignons
sel, poivre

Préparation : env. 20 min (plus temps de cuisson)

73

Viandes

Lors de la préparation de tapas
à la viande, l'ail et les oignons,
les tomates et les herbes ne doivent
en aucun cas manquer. Et les olives
apportent elles aussi leur contribution
grâce à leur saveur aromatique.

Pour 4 personnes

150 ml (¾ t.) de riz cuit à point

500 g (1 lb) de porc haché

1 œuf

30 ml (2 c. à soupe) d'amandes effilées grillées

sel, poivre

125 g (4 oz) de dattes

½ citron

15 ml (1 c. à soupe) de moutarde

60 ml (¼ t.) de chapelure

huile d'olive pour la cuisson

4 oignons

100 ml (⅓ t.) de vin blanc

100 ml (⅓ t.) de bouillon de bœuf relevé

2 feuilles de laurier

Préparation : env. 25 min (plus temps de cuisson)

76

Pour 4 personnes

150 ml (⅔ t.) de riz cuit à point

500 g (1 lb) de porc haché

1 œuf

30 ml (2 c. à soupe) de pignons grillés

2 gousses d'ail

1 poivron rouge haché

sel, poivre

45 à 60 ml (3 à 4 c. à soupe) de chapelure

huile d'olive pour la cuisson

4 oignons

100 ml (⅓ t.) de vin blanc

100 ml (⅓ t.) de bouillon de bœuf relevé

2 feuilles de laurier

Préparation : env. 25 min (plus temps de cuisson)

Boulettes de viande

aux dattes et aux amandes

Albóndigas con dátiles y almendras

1 Mélanger dans une terrine le riz avec le porc, l'œuf et les amandes, saler et poivrer. Dénoyauter les dattes, puis couper en dés et incorporer au hachis. Laver et essuyer le demi-citron, râper le zeste et ajouter à la farce avec la moutarde.

2 Avec les mains humides, former de petites boulettes. Rouler les boulettes dans la chapelure et faire cuire dans l'huile. Retirer. Peler les oignons et couper en dés. Faire blondir dans un peu d'huile, ajouter progressivement le vin et le bouillon, et incorporer le laurier. Porter à ébullition et laisser mijoter environ 10 min.

3 Plonger les boulettes dans le bouillon et laisser mijoter 15 min. Laisser refroidir les boulettes dans le bouillon et servir.

au vin

Albóndigas al vino

1 Mélanger dans une terrine le riz avec le porc, l'œuf et les pignons. Peler l'ail, hacher et incorporer à la farce. Ajouter le poivron, saler et poivrer. Former de petites boulettes et rouler dans la chapelure. Faire revenir les boulettes dans l'huile. Retirer.

2 Peler les oignons et les couper en dés. Faire blondir dans un peu d'huile, ajouter progressivement le vin et le bouillon, et incorporer le laurier. Porter à ébullition et laisser mijoter environ 10 min.

3 Plonger les boulettes dans le bouillon et laisser mijoter 15 min. Laisser refroidir les boulettes dans le bouillon et servir.

hevreau à la pastorale
abrito a la pastora

Découper la viande en gros cubes et les rouler dans la farine. 3 gousses d'ail et faire revenir dans l'huile dans une grande euse. Retirer de la sauteuse et réserver.

Faire revenir la viande en plusieurs fois dans la sauteuse l'huile de cuisson de l'ail. Saler, ajouter la moitié de l'ail ire cuire encore 2 min.

Faire dorer les gousses d'ail restantes dans une poêle la chapelure, les amandes et le foie paré.

4 Transférer le mélange dans un mortier et piler avec un peu de poivre, le safran et le vinaigre.

5 Ajouter la pâte obtenue à la viande. Allonger le xérès avec environ 150 ml (⅔ t.) d'eau.

6 Remuer, laisser braiser environ 15 min, jusqu'à ce que la viande devienne tendre et que la sauce épaississe.

Pour 4 personnes

1 kg (2,2 lb) de viande de chevreau sans os

30 à 45 ml (2 à 3 c. à soupe) de farine

6 gousses d'ail

75 ml (⅓ t.) d'huile d'olive

sel, poivre

30 ml (2 c. à soupe) de chapelure

100 ml (⅓ t.) d'amandes

1 foie de chevreau

un peu de safran

30 ml (2 c. à soupe) de vinaigre de xérès

175 ml (¾ t.) de xérès

Préparation : env. 15 min (plus temps de cuisson)

ôtelettes d'agneau au romarin
huletitas de cordero al romero

Éponger les côtelettes d'agneau à l'aide de papier absor-. Faire chauffer l'huile d'olive avec le beurre dans une large e jusqu'à ce que le mélange devienne odorant.

Faire cuire les côtelettes d'agneau à feu vif environ 5 min la matière grasse chaude. Retourner les côtelettes et faire l'autre côté.

Pendant ce temps, laver le romarin, égoutter et effeuiller. ter le romarin à la viande dans la poêle et faire cuire 5 min.

4 Peler l'ail, hacher et incorporer à la sauce chaude.

5 Retourner de nouveau les côtelettes d'agneau. Saler, poivrer et disposer sur un plat de service.

Pour 4 personnes

8 petites côtelettes d'agneau

45 ml (3 c. à soupe) d'huile d'olive

45 ml (3 c. à soupe) de beurre

quelques brins de romarin

2 gousses d'ail

sel, poivre

Préparation : env. 15 min

Pour 4 personnes

1 échalote

1 tomate

45 ml (3 c. à soupe) de saindoux

500 g (1 lb) de filet de bœuf

sel, poivre

1 grosse grenade

100 ml (⅓ t.) de bouillon de bœuf

Préparation : env. 15 min (plus temps de cuisson)

Filet de bœuf au jus de grenade

Solomillo de ternera con aliño de granada

1 Peler l'échalote et couper en petits dés. Ébouillanter la tomate environ 30 secondes, puis monder. Couper la base du pédoncule, épépiner et couper en dés.

2 Faire chauffer la matière grasse dans une cocotte. Faire rôtir la viande de tous les côtés. Retirer de la cocotte, saler, poivrer et réserver.

3 Faire revenir l'échalote dans la graisse de cuisson de la viande, ajouter la tomate et faire revenir 5 min, sans cesser de remuer.

4 Ouvrir la grenade. Extraire la pulpe et ajouter à la tomate. Remettre la viande dans la cocotte. Mouiller avec le bouillon, couvrir et laisser la viande mijoter environ 1 h à feu doux.

5 Retirer la viande, laisser reposer 10 min à découvert. Faire réduire le jus de cuisson du rôti. Rectifier l'assaisonnement en ajoutant éventuellement du sel et du poivre.

6 Découper la viande en fines tranches. Arroser avec la sauce et servir chaud ou froid.

loyau de porc au chorizo
nchitos de solomillo con chorizo

Découper le filet de porc en cubes. Peler l'ail et hacher
sièrement.

Laver l'origan, égoutter, effeuiller et hacher finement.

Mettre les cubes de viande dans une cocotte. Ajouter l'ail,
urier, l'origan ainsi qu'un peu de sel et de poivre. Mouiller avec
ron 175 ml (¾ t.) d'eau, couvrir et laisser la viande mijoter
à 15 min.

4   Couper les chorizos en rondelles et ajouter à la viande.
Incorporer le paprika en poudre et le saindoux. Laisser mijoter
encore quelques minutes à découvert jusqu'à ce que la viande
devienne tendre et que l'eau soit presque entièrement évaporée.

5   Laisser cuire encore un peu la viande en mélangeant bien
avec le jus de cuisson et servir.

Pour 4 personnes

**600 g (1,3 lb) de filet
de porc**

6 gousses d'ail

1 brin d'origan

1 feuille de laurier

sel, poivre

**2 petits chorizos,
env. 200 g (7 oz)**

**5 ml (1 c. à thé) de paprika
en poudre**

50 ml (¼ t.) de saindoux

*Préparation : env. 15 min
(plus temps de cuisson)*

Foie mariné
Hígado al iñade

Pour 4 personnes

6 gousses d'ail hachées

30 ml (2 c. à soupe) de persil haché

5 ml (1 c. à thé) de sel

125 ml (½ t.) d'huile d'olive

125 ml (½ t.) de vinaigre de vin

5 ml (1 c. à thé) de paprika fort

2,5 ml (½ c. à thé) de thym

750 g (1 ½ lb) de foie de bœuf

huile pour la cuisson

sel, poivre, cumin

Préparation : env. 20 min (plus temps de macération)

1   Au mélangeur, mettre l'ail avec le persil et le sel. Ajouter progressivement l'huile d'olive, le vinaigre, le paprika en poudre et le thym. Parer le foie, découper en lanières et arroser avec la marinade obtenue. Couvrir et laisser mariner toute la nuit.

2   Faire cuire le foie dans l'huile des deux côtés, retirer puis réserver au chaud. Mélanger la marinade avec le jus de cuisson du foie et faire réduire légèrement à feu moyen.

3   Rectifier l'assaisonnement en ajoutant éventuellement du sel, du poivre et du cumin. Disposer le foie dans la sauce et servir.

Rognons de veau à la riojana
Riñoncitos a la riojana

Pour 4 personnes

750 g (1 ½ lb) de rognons de veau, 2 pièces

jus d'un citron

sel marin, poivre

30 ml (2 c. à soupe) d'huile d'olive

30 ml (2 c. à soupe) d'oignon haché

30 ml (2 c. à soupe) de persil haché

30 ml (2 c. à soupe) de farine

30 ml (2 c. à soupe) de vin blanc

50 ml (¼ t.) de bouillon de volaille

1 feuille de laurier

½ piment fort séché

paprika

Préparation : env. 15 min (plus temps de cuisson)

1   Laisser mariner les rognons 10 min dans le jus de citron, parer et découper en morceaux. Rincer les morceaux de rognons à l'eau chaude et sécher. Saler et poivrer.

2   Faire revenir les rognons dans l'huile, retirer et réserver au chaud. Faire revenir l'oignon et le persil dans le jus de cuisson des rognons jusqu'à ce que l'oignon blondisse. Ajouter la farine et confectionner un roux, mouiller avec le vin et le bouillon. Ajouter le laurier et le piment, et assaisonner de paprika, de sel et de poivre.

3   Laisser réduire sans cesser de remuer jusqu'à ce que la sauce ait épaissi. Remettre les rognons et laisser mijoter environ 5 min. Les rognons doivent rester roses à cœur.

Foie à l'origan
Hígado al orégano

Pour 4 personnes

1 bouquet d'origan haché

2,5 ml (½ c. à thé) de sel

125 ml (½ t.) d'huile d'olive

125 ml (½ t.) de vinaigre de vin

15 ml (1 c. à soupe) de paprika en poudre

1 piment fort séché

1 kg (2,2 lb) de foie de porc

huile pour la cuisson

5 ml (1 c. à thé) de poivre

Préparation : env. 15 min (plus temps de macération et de cuisson)

1   Peler l'ail et passer au mélangeur avec l'origan. Ajouter progressivement le sel, l'huile d'olive, le vinaigre, le paprika en poudre et le piment.

2   Parer le foie et découper en lanières. Faire revenir dans l'huile et poivrer. Verser la marinade sur le foie, couvrir et laisser macérer toute la nuit.

3   Le lendemain, placer le tout dans une cocotte, porter à ébullition sans cesser de remuer et laisser mijoter environ 15 min. Poivrer et servir chaud, accompagné de pain de campagne.

oie épicé au majado
gado picante

Parer le foie de porc, découper en petits morceaux et fariner
rement. Faire chauffer de l'huile dans une poêle et faire revenir
ormément les morceaux de foie. Saler, poivrer généreusement
server.

Pour le majado, peler l'ail et piler dans un mortier ou passer
élangeur. Laver l'origan, égoutter et piler dans un mortier ou
er au mélangeur. Mélanger l'ail et l'origan.

3 Réduire le mélange en une purée fine dans le mortier ou
au mélangeur. Ajouter le vinaigre, l'huile d'olive et le paprika en
poudre, et bien mélanger. Saler et poivrer. Si le majado est trop
épais, ajouter un peu d'eau.

4 Répartir le majado sur le foie, couvrir et laisser macérer
toute la nuit. Le lendemain, placer le tout dans une cocotte,
porter à ébullition sans cesser de remuer et laisser mijoter environ 15 min. Servir encore chaud, accompagné de pain frais.

Pour 4 personnes

1 kg (2,2 lb) de foie de porc

30 à 45 ml (2 à 3 c. à soupe)
de farine

huile pour la cuisson

sel, poivre

8 gousses d'ail

5 tiges d'origan

125 ml (½ t.) de vinaigre
de vin rouge

125 ml (½ t.) d'huile d'olive

15 ml (1 c. à soupe) de
paprika fort

*Préparation : env. 20 min
(plus temps de macération
et de cuisson)*

83

Pour 4 personnes

750 g (1 ½ lb) de viande de veau coupée en cubes

sel, poivre

3 gousses d'ail hachées

15 ml (1 c. à soupe) de persil haché

30 ml (2 c. à soupe) d'huile d'olive

1 oignon haché

1 tomate mondée et coupée en dés

1 poivron coupé en dés

150 ml (⅔ t.) de bouillon de volaille

1 boîte de maïs, env. 200 ml (7 oz)

2,5 ml (½ c. à thé) de cumin

2,5 ml (½ c. à thé) de paprika en poudre

1 piment doux vert coupé en dés

10 tomates italiennes

Préparation : env. 15 min (plus temps de macération et de cuisson)

Pour 4 personnes

750 g (1 ½ lb) de viande de veau coupée en cubes

sel, poivre

3 gousses d'ail hachées

15 ml (1 c. à soupe) de persil haché

30 ml (2 c. à soupe) d'huile d'olive

1 oignon haché

1 tomate mondée et coupée en dés

1 poivron coupé en dés

150 ml (⅔ t.) de bouillon de volaille

2,5 ml (½ c. à thé) de cumin

2,5 ml (½ c. à thé) de paprika en poudre

Préparation : env. 15 min (plus temps de macération et de cuisson)

Ragoût de veau

au maïs et au piment doux
Estofado de tenera con maíz y guindilla

1   Mélanger la viande de veau avec le sel, le poivre, 1 gousse d'ail hachée et le persil. Laisser macérer environ 1 h.

2   Faire chauffer l'huile et faire revenir uniformément la viande à feu doux. Ajouter l'oignon, les dés de tomate et le poivron, et cuire jusqu'à ce que l'oignon et le poivron soient tendres. Mouiller avec le bouillon, porter à ébullition. Couvrir et laisser mijoter 40 min.

3   Égoutter le maïs. Passer au mélangeur le cumin avec l'ail restant, le paprika en poudre, le piment doux et une pincée de sel. Incorporer à la viande. Ébouillanter les tomates 30 secondes puis les monder et couper en petits morceaux. Ajouter les morceaux de tomates à la viande et laisser mijoter environ 20 min.

4   Après 10 min de cuisson, ajouter le maïs et poursuivre la cuisson jusqu'à ce que la viande soit à point. Servir accompagné de pain de campagne.

en sauce
Estofado de ternera

1   Mélanger la viande de veau avec le sel, le poivre, 1 gousse d'ail et le persil. Laisser macérer environ 1 h.

2   Faire chauffer l'huile et faire revenir uniformément la viande à feu doux. Ajouter l'oignon, les dés de tomate et le poivron, et cuire jusqu'à ce que l'oignon et le poivron soient tendres. Mouiller avec le bouillon, porter à ébullition. Couvrir et laisser mijoter 40 min.

3   Passer au mélangeur le cumin avec l'ail restant, le paprika en poudre et une pincée de sel. Incorporer à la viande et laisser mijoter environ 20 min jusqu'à ce que la viande soit à point.

rochettes de lièvre aux olives

nchitos de conejo con aceitunas

Découper le filet de lièvre en cubes. Laver le thym, égoutter effeuiller.

Mélanger les feuilles de thym, le xérès et les cubes de nde. Saler, poivrer et laisser macérer un peu.

Pendant ce temps, peler les oranges et émincer à l'aide n couteau tranchant. Mélanger l'orange avec le vinaigre de ès, l'huile d'olive, le sel et le poivre.

4 Piquer la viande sur les brochettes humidifiées en alternant avec les olives.

5 Faire griller ou cuire les brochettes de tous les côtés 5 min au barbecue ou à la poêle dans un peu d'huile.

6 Arroser les brochettes avec la sauce à l'orange et servir immédiatement, accompagné des tranches d'orange de la sauce.

Pour 4 personnes

500 g (1 lb) de filet de lièvre

1 brin de thym

75 ml (5 c. à soupe) de xérès sec

sel, poivre

3 oranges

30 ml (2 c. à soupe) de vinaigre de xérès

60 ml (¼ t.) d'huile d'olive

12 à 24 olives vertes

huile pour la cuisson

12 brochettes en bois

Préparation : env. 20 min

apin au safran

onejo al azafrán

Faire tremper le safran dans 60 ml (¼ t.) d'eau chaude. per les oignons en rondelles, peler l'ail et hacher finement.

Faire chauffer 30 ml (2 c. à soupe) d'huile d'olive, faire enir les oignons et l'ail. Retirer de la poêle et y verser 60 ml t.) d'huile d'olive.

Faire revenir uniformément la viande 10 min. Retirer de oêle, saler et vider l'huile.

4 Déglacer la poêle avec le vin et porter à ébullition. Ajouter les oignons, l'ail, le laurier et le safran avec son eau.

5 Ajouter les grains de poivre, le paprika en poudre et le thym ainsi que la viande. Ajouter suffisamment d'eau pour juste recouvrir la viande. Couvrir et laisser mijoter environ 1 h.

6 Disposer la viande dans de petits bols et arroser avec la sauce. Si la sauce est trop liquide, laisser préalablement réduire quelques instants.

Pour 4 personnes

20 filaments de safran

2 oignons rouges

3 gousses d'ail

90 ml (6 c. à soupe) d'huile d'olive

12 petites pattes avant de lapin

sel

250 ml (1 tasse) de vin blanc sec

1 feuille de laurier

8 grains de poivre noir

5 ml (1 c. à thé) de paprika en poudre

5 brins de thym

Préparation : env. 15 min (plus temps de cuisson)

Brochettes de viande
Brochetas de carne

Pour 4 personnes

75 ml (⅓ t.) d'huile d'olive

30 ml (2 c. à soupe) de persil haché

15 ml (1 c. à soupe) de coriandre hachée

5 ml (1 c. à thé) de paprika fort en poudre

2 oignons hachés

2 gousses d'ail hachées

300 g (10 oz) de viande de veau

300 g (10 oz) de filet de porc

12 brochettes en bois

Préparation : env. 15 min (plus temps de macération)

1 Mélanger l'huile avec le persil, la coriandre et le paprika en poudre. Incorporer les oignons et l'ail.

2 Découper la viande en cubes et mettre dans le mélange de condiments, couvrir et laisser mariner toute la nuit au réfrigérateur.

3 Retirer de la marinade et piquer sur les brochettes humidifiées. Préchauffer le barbecue.

4 Faire griller 1 à 2 min de chaque côté en arrosant régulièrement de marinade. Servir avec de la sauce tomate.

Brochettes d'agneau
Brochetas de cordero

Pour 4 personnes

100 ml (⅓ t.) d'huile d'olive

30 ml (2 c. à soupe) de persil haché

5 ml (1 c. à thé) d'origan haché

1 pointe de cumin

5 ml (1 c. à thé) de paprika fort en poudre

1 pincée de safran

1 oignon haché

2 gousses d'ail hachées

1 piment fort séché

600 g (1,3 lb) de viande d'agneau

12 à 16 brochettes en bois

Préparation : env. 15 min (plus temps de macération)

1 Mélanger l'huile avec le persil, l'origan, le cumin et le paprika en poudre. Incorporer l'oignon, l'ail et le piment.

2 Découper la viande en cubes et mettre dans le mélange de condiments, couvrir et laisser mariner toute la nuit au réfrigérateur.

3 Retirer de la marinade et piquer sur les brochettes humidifiées. Préchauffer le barbecue.

4 Faire griller 1 à 2 min de chaque côté en arrosant régulièrement de marinade. Servir avec de la sauce tomate.

Brochettes d'agneau en sauce
Brochetas de cordero en salsa

Pour 4 personnes

6 gousses d'ail hachées

250 ml (1 tasse) de vin blanc, sel

4 grains de poivre

750 g (1 ½ lb) de viande d'agneau

80 ml (⅓ t.) d'huile d'olive

5 ml (1 c. à thé) de romarin haché

1 feuille de laurier

1 botte d'oignons verts hachés

2 grosses pommes de terre coupées en dés

200 ml (¾ t.) de crème sure

8 brochettes en bois

Préparation : env. 15 min (plus temps de cuisson)

1 Mélanger 3 gousses d'ail avec 100 ml (⅓ t.) de vin et 75 ml (5 c. à soupe) d'eau, du sel et les grains de poivre. Découper la viande en cubes et laisser mariner 24 h dans le mélange.

2 Retirer, essuyer et piquer sur les brochettes. Faire revenir dans de l'huile. Ajouter l'ail restant, le romarin, le laurier, les oignons verts et le sel. Laisser cuire sans faire dorer.

3 Mouiller avec le vin restant et 500 ml (2 tasses) d'eau. Porter à ébullition et laisser mijoter environ 2 h à feu doux. 20 min avant la fin de la cuisson, ajouter les pommes de terre et la crème. Saler et servir accompagné de pain de campagne.

rochettes à la mauresque
nchos morunos

Verser l'huile d'olive dans une terrine. Laver le thym et rsil, égoutter, hacher finement et ajouter à l'huile d'olive.

Ajouter aussi le piment en poudre, le cumin moulu, le ka en poudre et un peu de poivre. Mélanger délicatement.

Découper la viande en cubes d'environ 2 x 2 cm (¾ x ¾ po). sférer les cubes de viande dans le mélange de condiments et anger. Couvrir et laisser mariner toute la nuit au réfrigérateur.

4 Le lendemain, retirer la viande de la marinade et piquer sur les brochettes humidifiées. Préchauffer le barbecue. Verser la marinade dans une casserole et porter à ébullition.

5 Faire griller les brochettes environ 5 à 10 min au barbecue en arrosant régulièrement de marinade.

Pour 4 personnes

150 ml (⅔ t.) d'huile d'olive

5 ml (1 c. à thé) de thym haché

30 ml (2 c. à soupe) de persil haché

5 ml (1 c. à thé) de piment fort en poudre

10 ml (2 c. à thé) de cumin moulu

5 ml (1 c. à thé) de paprika doux en poudre

poivre

750 g (1 ½ lb) de viande de porc

12 à 16 brochettes en bois

Préparation : env. 15 min (plus temps de macération et de cuisson)

89

Volailles

La volaille s'allie de façon particulièrement harmonieuse aux ingrédients
typiquement espagnols tels que les
olives, l'origan, les citrons, l'huile
d'olive, l'ail et le xérès.

Pour 4 personnes
6 à 8 cuisses de poulet
sel, poivre
huile pour la cuisson
10 olives noires en bocal
1 piment doux rouge
1 tomate séchée
3 gousses d'ail
75 ml (⅓ t.) de xérès sec

*Préparation : env. 15 min
(plus temps de cuisson)*

Pour 4 personnes
8 cuisses de poulet
paprika en poudre
sel, poivre
huile pour la cuisson
175 g (6 oz) d'olives farcies
à l'ail
env. 150 ml (⅔ t.) de
xérès fino
5 brins de persil

*Préparation : env. 15 min
(plus temps de cuisson)*

Cuisses de poulet
à l'andalouse
Muslos de pollo a la andaluza

1   Saler et poivrer les cuisses de poulet, puis faire dorer à la poêle dans un peu d'huile. Couvrir et laisser cuire environ 30 minutes. Laisser refroidir. Détacher la chair des os et découper en gros morceaux. Égoutter les olives, dénoyauter et couper en rondelles.

2   Nettoyer les piments doux, laver et couper en deux. Couper le pédoncule, épépiner et hacher finement. Couper les tomates en dés, peler l'ail et émincer.

3   Préchauffer le four à 150 °C (300 °F). Mélanger la viande, l'ail, le piment, les tomates et les olives, puis transférer le tout dans un plat à gratin. Arroser avec le xérès et faire cuire la viande environ 20 min.

aux olives et au xérès
Muslos de pollo al jerez con aceitunas

1   Assaisonner les cuisses de poulet avec du paprika en poudre, du sel et du poivre.

2   Faire chauffer l'huile d'olive dans une poêle et faire dorer uniformément les cuisses de poulet environ 15 à 20 min. La viande doit être à point. Après 5 min de cuisson, ajouter les olives égouttées.

3   Dès que la viande est cuite à point, mouiller avec le xérès et laisser cuire encore 2 min. Laver le persil, égoutter et hacher finement. En parsemer les cuisses de poulet avant de servir.

...oies de volaille au vinaigre de xérès

...gado de ave

Nettoyer les foies de volaille, laver et sécher. Mélanger ...prika en poudre avec le sel et le poivre et y rouler les foies ...olaille.

Faire chauffer la moitié du beurre et faire bien cuire les ... de volaille sans cesser de remuer. Retirer du feu et réserver ...haud.

Peler les échalotes, hacher finement et faire dorer ... le jus de cuisson des foies de volaille. Ajouter le vinaigre ... sucre. Peler l'ail, hacher et incorporer à la sauce.

4 Faire cuire jusqu'à ce que la sauce soit presque entièrement évaporée.

5 Ajouter le bouillon de volaille et laisser réduire de moitié à feu vif.

6 Couper le beurre restant en morceaux et incorporer au bouillon. Rectifier éventuellement l'assaisonnement de la sauce en ajoutant du sel et du poivre. Incorporer les foies de volaille et servir.

Pour 4 personnes

500 g (1 lb) de foies de volaille

5 ml (1 c. à thé) de paprika en poudre

sel, poivre

50 ml (¼ t.) de beurre

2 échalotes

50 ml (¼ t.) de vinaigre de xérès

5 ml (1 c. à thé) de sucre

1 gousse d'ail

300 ml (1 ¼ t.) de bouillon de volaille relevé

Préparation : env. 20 min (plus temps de cuisson)

95

...lons de poulet aux pignons

...uslos con piñones

Peler l'ail et l'oignon et couper en dés. Faire chauffer ...le d'olive dans une poêle et faire blondir l'ail et l'oignon.

Saler et poivrer régulièrement les pilons, mettre dans ...oêle et faire revenir de tous les côtés. Ajouter le xérès.

3 Ajouter les pignons et le vin. Couvrir et laisser mijoter à feu doux.

4 Retourner de temps en temps les pilons. Après environ 35 min, la viande est à point et doit se détacher facilement de l'os.

Pour 4 personnes

1 gousse d'ail

1 oignon

30 ml (2 c. à soupe) d'huile d'olive

8 à 10 pilons de poulet

sel, poivre

30 ml (2 c. à soupe) de xérès

50 ml (¼ t.) de pignons

200 ml (¾ t.) de vin blanc

Préparation : env. 15 min (plus temps de cuisson)

Poulet à la sauce miel-moutarde
Pollo a la miel y mostaza

Pour 4 personnes

4 blancs de poulet

sel, poivre

2 œufs

30 à 45 ml (2 à 3 c. à soupe) de farine

huile d'olive

50 ml (¼ t.) de miel

5 ml (1 c. à thé) de moutarde de Dijon

5 ml (1 c. à thé) de vinaigre de xérès

Préparation : env. 20 min (plus temps de cuisson)

1 Découper les blancs de poulet en cubes d'environ 2,5 x 2,5 cm (1 po x 1 po). Mettre dans une terrine, saler et poivrer.

2 Ajouter les œufs crus à la viande et mélanger.

3 Saupoudrer de farine et remuer de nouveau. Ajouter autant de farine que nécessaire pour que la viande ne colle plus.

4 Faire chauffer l'huile d'olive dans une poêle et faire reve[nir] la viande environ 15 min, en remuant de temps en temps.

5 Retirer la poêle du feu, saler et poivrer.

6 Mélanger le miel avec la moutarde et le vinaigre de xérè[s] et servir avec la viande.

...oulet à l'orange

...llo a la naranja

Découper la viande en cubes d'environ 2,5 x 2,5 cm
...o x 1 po). Pour la marinade, mélanger le xérès avec 60 ml
...) de jus d'orange, 30 ml (2 c. à soupe) d'huile d'olive, du
...du poivre et le zeste d'orange. Ajouter la viande, couvrir et
...er mariner toute la nuit au réfrigérateur.

Pour la sauce, mélanger la moitié de la confiture, les raisins
...et les prunes en tranches ou la compote de prunes dans une
...te. Couvrir et laisser mijoter à feu doux environ 10 min.

3 Retirer le couvercle et laisser mijoter encore 5 min. Laisser
refroidir et incorporer la confiture restante. Concasser grossièrement
les noix et incorporer à la préparation avec 45 ml (3 c. à soupe)
de jus d'orange et 15 ml (1 c. à soupe) d'eau.

4 Retirer la viande de la marinade et la sécher, en réservant
le zeste d'orange. Faire dorer uniformément la viande 5 à 8 min
dans l'huile d'olive restant. Dès que la viande est cuite mais encore
juteuse, incorporer le zeste d'orange. Servir avec la sauce.

Pour 4 personnes

**1 blanc de poulet sans os
ni peau, env. 600 g (1,3 lb)**

**30 ml (2 c. à soupe) de xérès
demi-sec**

jus et zeste d'une orange

60 ml (¼ t.) d'huile d'olive

sel, poivre

**200 ml (¾ t.) de confiture
d'orange**

**15 ml (1 c. à soupe) de
raisins secs**

**2 prunes dénoyautées
ou compote de prunes**

**30 ml (2 c. à soupe) de
cerneaux de noix**

*Préparation : env. 25 min
(plus temps de macération
et de cuisson)*

Ailes de poulet au gingembre

Alitas de pollo con salsa de jengibre

Pour 4 personnes

15 ml (1 c. à soupe) de graines de sésame

12 ailes de poulet

30 ml (2 c. à soupe) de gingembre fraîchement râpé

2 gousses d'ail

60 ml (¼ t.) de xérès

30 ml (2 c. à soupe) d'huile d'olive

30 ml (2 c. à soupe) de sucre

Préparation : env. 15 min (plus temps de cuisson)

1 Préchauffer le four à 180 °C (350 °F). Faire griller les graines de sésame à sec dans une poêle et réserver.

2 Disposer les ailes de poulet dans un plat à rôtir. Mettre le gingembre dans une terrine. Peler l'ail, piler dans un mortier et ajouter au gingembre. Mélanger soigneusement avec le xérès, l'huile d'olive et le sucre.

3 Verser le mélange sur le poulet, puis faire cuire environ 25 min au four, en remuant de temps en temps. Parsemer le poulet de graines de sésame et servir.

Ailes de poulet à l'ail

Alitas de pollo al ajillo

Pour 4 personnes

12 ailes de poulet

12 gousses d'ail

60 ml (¼ t.) d'huile d'olive

15 ml (1 c. à soupe) de cognac

2,5 ml (½ c. à thé) de farine

100 ml (⅓ t.) de vin blanc

50 ml (¼ t.) de bouillon de volaille

sel

15 à 30 ml (1 à 2 c. à soupe) de persil haché

un peu de safran

4 grains de poivre

Préparation : env. 20 min (plus temps de cuisson)

1 Couper les ailes de poulet au niveau de l'articulation. Peler et écraser l'ail. Faire chauffer l'huile et faire légèrement dorer l'ail. Retirer l'ail et réserver.

2 Faire revenir uniformément les ailes de poulet dans le jus de cuisson de l'ail. Arroser avec le cognac et faire flamber. Saupoudrer le poulet de farine, mouiller avec le vin et le bouillon, et saler. Couvrir et laisser mijoter 15 min.

3 Mélanger l'ail haché, le persil, le safran, les grains de poivre et un peu de sel. Parsemer le poulet avec le mélange et laisser mijoter encore 15 min à couvert.

Ailes de poulet à la bière

Alitas de pollo con cerveza

Pour 4 personnes

12 ailes de poulet

350 ml (1 ½ t.) de bière

sel, poivre

7,5 ml (1 ½ c. à thé) de thym sec

1 feuille de laurier

30 ml (2 c. à soupe) d'huile d'olive

Préparation : env. 15 min (plus temps de cuisson)

1 Séparer les ailes de poulet au niveau de l'articulation. Mélanger la bière, à l'exception de 30 ml (2 c. à soupe), avec du sel, du poivre, 5 ml (1 c. à thé) de thym et le laurier. Laisser mariner le poulet au moins 2 h, en retournant en cours de cuisson.

2 Laisser le poulet égoutter sur du papier absorbant et disposer sur une grille de four. Mélanger la bière restante avec le thym restant et l'huile d'olive. Enduire le poulet d'huile, saler et poivrer.

3 Faire dorer 5 min sous le gril du four préchauffé. Retourner et faire griller encore 5 min.

Ailes de poulet à la riojana
litas de pollo a la riojana

Saler et poivrer les ailes de poulet, puis rouler dans
farine. Faire chauffer l'huile d'olive et faire revenir le poulet
viron 5 min. Retirer du feu et réserver.

Peler l'ail et écraser les gousses. Laver les herbes et
outter. Peler les oignons et couper en rondelles. Faire revenir
l, les oignons, le laurier et le thym dans le jus de cuisson du
ulet. Dès que les oignons dorent, ajouter le persil et le paprika
poudre.

3 Mouiller immédiatement avec le vin et laisser mijoter
5 min, puis incorporer le miel. Verser le mélange bouillant sur les
ailes de poulet et laisser mariner plusieurs heures, en remuant de
temps en temps.

4 Avant de servir, faire réchauffer les ailes de poulet et servir
très chaud.

Pour 4 personnes

12 ailes de poulet

sel, poivre

**15 à 30 ml (1 à 2 c. à soupe)
de farine**

**250 ml (1 tasse) d'huile
d'olive**

½ tête d'ail

2 brins de thym

1 brin de persil

2 oignons

1 feuille de laurier

**15 ml (1 c. à soupe)
de paprika en poudre**

125 ml (½ t.) de vin blanc

15 ml (1 c. à soupe) de miel

*Préparation : env. 25 min
(plus temps de cuisson)*

99

Cuisses de canard

à l'orange

Muslos de pato a la naranja

1 Préchauffer le four à 230 °C (450 °F). Saler et poivrer les cuisses de canard. Peler l'oignon et l'ail, et hacher finement. Peler les carottes et couper en rondelles. Laver l'orange à l'eau chaude, essuyer et couper en tranches.

2 Faire cuire les cuisses de canard dans le beurre fondu dans une cocotte. Faire cuire aussi l'oignon, l'ail et les carottes. Saupoudrer le tout de farine. Ajouter le laurier, le piment séché et les tranches d'orange. Faire cuire environ 20 min au four préchauffé. Arroser de vin et cuire encore 20 min. Réserver.

3 Dénoyauter les olives et couper en rondelles. Retirer le canard, le laurier, le piment séché et les tranches d'orange du plat. Laisser la sauce réduire d'un tiers, et y faire réchauffer les olives. Rectifier l'assaisonnement de la sauce en ajoutant sel, poivre, sucre et vinaigre. Remettre les cuisses de canard dans la cocotte.

aux abricots et raisins secs

Muslos de pato en salsa de albaricoque y pasas

1 Préchauffer le four à 230 °C (450 °F). Saler et poivrer les cuisses de canard, et faire cuire dans du beurre fondu dans une cocotte. Faire revenir aussi les oignons. Faire cuire environ 40 min au four préchauffé. Ajouter un peu d'eau en cours de cuisson. Réserver.

2 Faire tremper les raisins de Corinthe et les abricots dans le xérès, puis chauffer dans le jus de cuisson. Râper les pommes épluchées dans le jus de cuisson. Laisser réduire la sauce et ajouter du sel, du poivre, de la cannelle et du jus de citron.

oulet au chorizo et au poivron

ollo con chorizo y pimiento

Découper les blancs de poulet et le chorizo en dés. Ouvrir
oivron en deux, épépiner et couper en fines lanières.

Laver la ciboulette, égoutter et ciseler à l'aide de ciseaux
uisine.

Laver l'orange, essuyer et râper finement le zeste. Presser
demi-orange.

4 Dans une terrine, mélanger le poulet et le chorizo avec le
poivron, deux tiers de la ciboulette, le zeste et le jus d'orange ainsi
que 30 ml (2 c. à soupe) d'huile d'olive.

5 Faire chauffer l'huile d'olive restante dans une poêle. Faire
revenir uniformément le mélange de viande environ 7 min, jusqu'à
ce que la viande soit à point.

6 Saler et poivrer. Parsemer avec la ciboulette restante
et servir.

Pour 4 personnes

**400 g (13 oz) de blancs
de poulet**

100 g (3 ½ oz) de chorizo

3 poivrons

**1 bouquet de ciboulette
chinoise**

1 orange

60 ml (¼ t.) d'huile d'olive

sel, poivre

*Préparation : env. 20 min
(plus temps de cuisson)*

103

rochettes de poulet au crabe

nchitos de pollo y langostino

Plonger les crabes dans de l'eau bouillante légèrement
e et faire cuire environ 5 min jusqu'à ce qu'ils rosissent.

Retirer de l'eau, laisser refroidir et détacher les pinces
corps. Extraire la chair et couper en morceaux.

Découper les blancs de poulet en cubes. Faire pocher
in dans le vin blanc. Retirer du vin et laisser refroidir.

4 Pour la mayonnaise à l'ail, passer les tomates au mélangeur. Peler l'ail, écraser et ajouter aux tomates. Saler, poivrer et
réduire en purée. Ajouter la mayonnaise et mixer avec le reste.

5 Piquer la viande sur les brochettes en alternant avec la chair
de crabe et disposer sur un plat. Servir avec la mayonnaise à l'ail
et à la tomate.

Pour 4 personnes

**2 crabes frais (env. 700 g
(1,6 lb)) ou des crevettes**

sel, poivre

**500 g (1 lb) de blancs
de poulet**

**100 ml (⅓ t.) de vin
blanc sec**

**100 ml (⅓ t.) de tomate
(en boîte)**

2 gousses d'ail

200 g (¾ t.) de mayonnaise

8 à 12 brochettes en bois

*Préparation : env. 25 min
(plus temps de cuisson)*

Pour 4 personnes

4 cailles prêtes à l'emploi

sel, poivre

150 ml (⅔ t.) de raisins
sans pépins

100 ml (⅓ t.) d'huile d'olive

4 oignons

10 gousses d'ail

2 feuilles de laurier

90 ml (6 c. à soupe) de
vinaigre de xérès

16 tranches de bacon maigre

quartiers de citron
pour la garniture

*Préparation : env. 20 min
(plus temps de cuisson)*

Cailles au vinaigre de xérès
Codornices en escabeche

1   Saler et poivrer les cailles. Peler les raisins et couper
en deux.

2   Faire chauffer la moitié de l'huile dans une cocotte et faire
rôtir les cailles. Peler les oignons et l'ail, et hacher finement.

3   Faire chauffer l'huile restante dans une poêle et faire blondir
les oignons et l'ail. Ajouter le laurier et faire cuire encore 1 min.

4   Transférer le contenu de la poêle dans la cocotte et ajouter
du sel, du poivre et le vinaigre. Faire revenir le bacon dans la
même poêle. Réserver.

5   Couvrir les cailles et laisser mijoter à feu doux. Couper les
cailles en quatre et garnir chaque morceau avec quelques raisins
et une tranche de bacon. Servir accompagné de quartiers de citron

ilet de poulet au xérès

echuga de pollo al jerez

Découper les blancs de poulet en cubes d'environ 3 x 3 cm ¼ x 1 ¼ po). Saler, poivrer et rouler dans la farine.

Faire chauffer l'huile d'olive dans une poêle et faire ·enir le poulet uniformément en plusieurs fois. Retirer de la ·le et réserver.

Dégraisser le jus de cuisson. Ajouter le xérès et le bouillon volaille, et porter à ébullition.

4 Peler l'ail, hacher et ajouter au bouillon. Laver le thym et incorporer aussi. Laisser réduire la sauce d'un tiers à découvert.

5 Remettre la viande dans la poêle et faire cuire encore 10 min.

6 Couper les olives en tranches, ajouter à la viande et faire chauffer 5 min. Servir accompagné de pain de campagne.

Pour 4 personnes

600 g (1,3 lb) de blancs de poulet

sel, poivre

15 à 30 ml (1 à 2 c. à soupe) de farine

30 ml (2 c. à soupe) d'huile d'olive

250 ml (1 tasse) de xérès sec

125 ml (½ t.) de bouillon de volaille

2 gousses d'ail

1 brin de thym

75 ml (⅓ t.) d'olives farcies au poivron

Préparation : env. 15 min (plus temps de cuisson)

Poulet au cava
Pollo al cava

Pour 4 personnes
500 g (1 lb) de blancs
de poulet
sel, poivre
30 ml (2 c. à soupe) de farine
60 ml (¼ t.) d'huile d'olive
350 ml (1 ½ t.) de cava
ou de mousseux
½ citron
un peu de piment

*Préparation : env. 15 min
(plus temps de cuisson)*

1   Découper les blancs de poulet en cubes. Saler, poivrer et saupoudrer de farine. Faire chauffer l'huile d'olive dans une poêle et faire dorer la viande uniformément.

2   Ajouter le cava et le jus de citron, et réduire le feu.

3   Saler, poivrer et ajouter un peu de piment. Couvrir et laisser mijoter environ 15 min. Remuer la viande de temps en temps et servir très chaud.

Poulet à l'aïoli
Pollo con alioli

Pour 4 personnes
500 g (1 lb) de blancs
de poulet
1 à 2 gousses d'ail
100 ml (⅓ t.) de vin blanc sec
100 ml (⅓ t.) d'huile d'olive
2 feuilles de laurier
½ piment doux rouge coupé
en dés
5 ml (1 c. à thé) de thym sec
2,5 ml (½ c. à thé) de cumin
sel, poivre
6 brins de persil
75 ml (5 c. à soupe)
de chapelure
200 ml (¾ t.) d'aïoli

Préparation : env. 15 min

1   Découper les blancs de poulet en lanières. Peler l'ail et hacher finement. Mélanger le vin avec l'huile d'olive, le laurier, le piment doux, le thym, le cumin, le sel et le poivre. Plonger les lanières de poulet dans la marinade obtenue et mélanger.

2   Laver le persil, égoutter et hacher finement. Mélanger le persil et la chapelure.

3   Allumer le gril du four. Disposer le poulet sur une grille sous le gril préchauffé et faire rôtir environ 5 min. Retourner la viande en cours de cuisson. Servir les lanières de poulet avec l'aïoli.

Poulet à la sauce tomate
Pollo con salsa de tomate

Pour 4 personnes
500 g (1 lb) de blancs
de poulet
sel, poivre
60 ml (¼ t.) d'huile d'olive
1 boîte de tomates 784 ml
(28 oz)
2 gousses d'ail
150 ml (⅔ t.) de xérès

Préparation : env. 15 min

1   Découper les blancs de poulet en cubes, puis saler et poivrer. Faire chauffer l'huile d'olive et faire revenir la viande environ 10 min sur chaque face. Retirer la viande de la poêle et réserver.

2   Concasser grossièrement les tomates et mettre dans la poêle. Peler l'ail, hacher et ajouter aux tomates. Arroser de xérès et laisser mijoter environ 10 min sans couvercle à feu moyen.

3   Après environ 5 min, remettre la viande et laisser encore mijoter le temps de la réchauffer.

oulet au xérès et aux champignons
ollo con salsa al jerez y champiñones

Pour 4 personnes

**500 g (1 lb) de blancs
de poulet**

**250 ml (1 tasse)
de champignons**

60 ml (¼ t.) d'huile d'olive

150 ml (⅔ t.) de xérès

150 ml (⅔ t.) de crème 15 %

**22 ml (1 ½ c. à soupe)
de jus de citron**

sel, poivre

persil pour la garniture

*Préparation : env. 20 min
(plus temps de cuisson)*

Découper les blancs de poulet en cubes. Nettoyer les mpignons, brosser et couper en quatre.

Faire cuire les blancs de poulet 5 min à la poêle dans le d'olive bouillante, sans cesser de remuer.

Ajouter les champignons en morceaux et poursuivre la son 2 min.

4 Ajouter le xérès et la crème liquide. Porter à ébullition et laisser cuire environ 1 min à feu vif.

5 Rectifier l'assaisonnement en ajoutant le jus de citron, du sel et du poivre. Laver le persil, égoutter et hacher finement. Parsemer le poulet de persil et servir accompagné de pain frais.

107

Poissons et fruits de mer

Les crevettes, la morue séchée et les sardines font partie des tapas les plus populaires. Épicés de piment et d'ail, ils sont traditionnellement offerts dans la vaisselle dans laquelle ils ont été cuisinés, souvent un plat en fonte ou en terre cuite émaillée.

Brochettes de lotte

à la mauresque
Pinchitos morunos de rape

1 Découper le poisson en morceaux de 4 cm (1 ½ po). Frotter avec du sel marin et réserver 15 min. Nettoyer le poivron, laver et couper en deux. Couper le pédoncule, épépiner et couper en 12 lanières.

2 Piquer le poisson, les langoustines et le poivron sur les brochettes, en terminant par du poisson. Badigeonner avec un peu d'huile et poivrer.

3 Faire griller environ 2 min sous le gril. Retourner, badigeonner de nouveau avec un peu d'huile et saupoudrer de paprika en poudre. Poursuivre la cuisson 2 min.

à l'ail et au xérès
Pinchitos de rape al ajillo y jerez

1 Faire tremper les raisins secs dans de l'eau chaude. Faire tremper le safran dans 45 ml (3 c. à soupe) d'eau bouillante. Laver la lotte, sécher et découper en morceaux d'environ 4 cm (1 ½ po). Frotter avec du sel marin et réserver 15 min afin que la chair s'affermisse. Piquer le poisson sur les brochettes.

2 Peler l'ail. Faire chauffer l'huile dans une poêle et faire cuire les brochettes sur toutes les faces. Retirer les brochettes.

3 Faire dorer l'ail dans le jus de cuisson du poisson, ajouter le xérès, le laurier, le safran avec son eau et les raisins secs égouttés. Porter à ébullition puis remettre les brochettes. Laisser mijoter environ 5 min et l'alcool s'évaporer. Saler et poivrer. Arroser les brochettes de sauce et disposer sur les tranches de citron vert.

112

ardines farcies
ardinas rellenas de pimiento

Laver les poivrons et couper en deux. Nettoyer et couper
nes lanières.

Faire fondre 80 ml (⅓ t.) de beurre dans une poêle et faire
les lanières de poivron à feu doux.

Nettoyer les sardines, retirer délicatement les arêtes et les
res. Laver les poissons avec précaution et laisser égoutter sur
apier absorbant.

4 Préchauffer le four à 180 °C (350 °F). Saupoudrer
les sardines de sel marin, remplir de poivron et refermer en
appuyant fortement.

5 Disposer les sardines dans un plat résistant au four en les
serrant les unes contre les autres, répartir les lanières de poivron
restantes et arroser avec l'huile d'olive.

6 Parsemer de chapelure. Disposer des noix du beurre restant
et faire cuire environ 15 à 20 min au four.

Pour 4 personnes

2 poivrons rouges

125 ml (½ t.) de beurre

1 kg (2,2 lb) de sardines fraîches

sel marin

30 ml (2 c. à soupe) de chapelure

60 ml (¼ t.) d'huile d'olive

Préparation : env. 30 min (plus temps de cuisson)

roquettes de morue séchée
roquetas de bacalao

Faire tremper le poisson 24 h dans de l'eau froide, en
ngeant l'eau de temps en temps. Égoutter, émietter et retirer
es les arêtes.

Laver les pommes de terre et faire cuire 20 min à l'eau.
r et réduire en purée. Peler l'ail et hacher finement. Laver le
il, égoutter et hacher finement. Faire griller les pignons à la
e dans un peu d'huile.

Mélanger le poisson, la purée, l'ail et le persil, saler, poivrer
aupoudrer de paprika en poudre. Bien mélanger et laisser
ser 15 min.

4 Battre les œufs, puis mélanger la farine avec la chapelure
dans une assiette.

5 Avec les mains mouillées, former de petites croquettes
à partir du mélange de poisson et de pommes de terre. Rouler
d'abord les croquettes dans la chapelure, dans l'œuf puis de
nouveau dans la chapelure.

6 Faire chauffer l'huile de friture et faire frire les croquettes
en plusieurs fois. Retirer les croquettes à l'aide d'une écumoire
et laisser égoutter sur du papier absorbant. Servir très chaud.

Pour 4 personnes

400 g (13 oz) de morue salée

400 ml (1 ¾ t.) de pommes de terre

3 gousses d'ail

1 bouquet de persil

45 ml (3 c. à soupe) de pignons

un peu d'huile

sel, poivre

un peu de paprika en poudre

3 œufs

farine

chapelure

huile de friture

Préparation : env. 30 min (plus temps de cuisson)

Pour 4 personnes

1 filet d'anchois à l'huile par
anchois frais

500 g (1 lb) d'anchois frais

1 œuf

un peu de farine

60 ml (¼ t.) de chapelure

huile d'olive pour la friture

quelques quartiers de citron

*Préparation : env. 25 min
(plus temps de cuisson)*

Anchois farcis

Anchoas rellenas de boquerones

1 Faire tremper les filets d'anchois à l'huile dans de l'eau froide. Pendant ce temps, nettoyer les anchois frais et retirer délicatement les arêtes et les viscères.

2 Laver soigneusement les poissons, essuyer et écarter les flancs.

3 Dans chaque anchois, disposer un filet d'anchois à l'huile égoutté, puis refermer.

4 Battre l'œuf. Rouler les anchois d'abord dans la farine, p dans l'œuf et enfin dans de la biscotte râpée ou de la chapelure

5 Faire chauffer de l'huile d'olive pour la friture et faire frir les poissons en plusieurs fois.

6 Retirer les poissons et égoutter sur du papier absorbant. Garnir avec des quartiers de citron et servir.

...ruits de mer grillés

...ostada de mariscos

Peler l'oignon et l'ail, et hacher l'oignon finement. ...uillanter les tomates 30 secondes, puis monder et couper en ...ux. Couper le pédoncule, épépiner et hacher finement la chair.

...2 Faire chauffer l'huile d'olive dans une poêle et faire blondir ...ignon. Ajouter les moules, les crevettes et les rondelles de cal-...r, et faire cuire. Mouiller avec le vin et le bouillon. Hacher l'ail ...ajouter à la préparation. Incorporer les tomates, la pâte de ...nates, le paprika en poudre et le piment de Cayenne.

3 Bien mélanger, couvrir et laisser mijoter environ 15 min, en remuant de temps en temps.

4 Laver le persil, égoutter et hacher finement. Ajouter 15 ml (1 c. à soupe) de persil aux fruits de mer, mélanger et poursuivre la cuisson encore 5 min. Disposer les fruits de mer sur des tranches de pain frais, parsemer avec le persil restant et servir.

Pour 4 personnes

1 oignon

1 ou 2 gousses d'ail

2 tomates

45 ml (3 c. à s.) d'huile d'olive

500 g (1 lb) de moules cuites

175 g (6 oz) de crevettes décortiquées

250 g (8 oz) de rondelles de calmars prêts à l'emploi

125 ml (½ t.) de vin rouge

75 ml (⅓ t.) de fumet de poisson ou de jus de cuisson des moules

15 ml (1 c. à soupe) de pâte de tomates

5 à 10 ml (1 à 2 c. à thé) de paprika en poudre

1 pincée de piment de Cayenne

5 brins de persil, quelques tranches de pain

Préparation : env. 20 min (plus temps de cuisson)

Sardines à la coriandre
Sardinas al cilantro con guindilla

Pour 4 personnes
24 sardines
huile pour la cuisson
30 ml (2 c. à soupe) de coriandre hachée
1 piment fort rouge
30 ml (2 c. à soupe) de graines de coriandre
15 ml (1 c. à soupe) de graines de sésame
2 gousses d'ail

Préparation : env. 15 min

1 Nettoyer les sardines, retirer les arêtes et les viscères. Laver les poissons, laisser égoutter et cuire à la poêle dans de l'huile bouillante. Retirer et rouler dans la coriandre hachée. Nettoyer le piment, laver et couper en deux. Couper le pédoncule, épépiner et hacher finement.

2 Faire griller les grains de sésame et de coriandre à sec dans une poêle, ajouter le piment et mélanger. Peler l'ail, écraser et ajouter au reste. Mélanger le tout.

3 Disposer les sardines sur un plat, garnir avec le mélange sésame-piment et servir.

Sardines au four
Sardinas asadas

Pour 4 personnes
24 sardines
1 bulbe de fenouil
1 citron
sel, poivre
huile d'olive
tranches de citron pour la garniture

Préparation : env. 20 min (plus temps de cuisson)

1 Nettoyer les sardines, retirer les arêtes et les viscères avec précaution. Laver les poissons délicatement et laisser égoutter.

2 Préchauffer le four à 200 °C (400 °F). Nettoyer le fenouil, laver et émincer finement. Étaler le fenouil dans un plat à rôtir. Poser les sardines sur le fenouil, l'incision ventrale vers le bas.

3 Presser le citron. Arroser les sardines avec le jus de citron, saler et poivrer. Faire cuire 10 min au four préchauffé. Laisser les sardines se dessécher, arroser de jus de cuisson de temps en temps. Servir garni de tranches de citron.

Sardines marinées
Sardinas en aliño

Pour 4 personnes
1 oignon moyen
5 filets d'anchois à l'huile
jus et zeste d'un citron
sucre
sel, poivre
24 sardines
huile pour la cuisson
15 ml (1 c. à soupe) de câpres
16 olives vertes farcies au poivron

Préparation : env. 15 min (plus temps de macération)

1 Peler l'oignon et émincer finement.

2 Réduire les filets d'anchois en purée avec l'huile. Incorporer le jus de citron avec une pincée de sucre, du poivre et du sel. Si la purée est trop épaisse, mélanger avec un peu d'huile d'olive.

3 Nettoyer les sardines, retirer les arêtes et les viscères. Laver les poissons, laisser égoutter et faire cuire à la poêle dans de l'huile très chaude. Retirer les sardines et disposer avec les câpres égouttées, les olives et les rondelles d'oignon sur un plat. Arroser avec la sauce aux anchois et garnir avec le zeste de citron. Couvrir et laisser mariner au moins 20 min au réfrigérateur.

Sardines frites à l'ail
Sardinas al ajillo

1 Préchauffer le four à 180 °C (350 °F). Peler l'ail et hacher [fin]ement. Laver le persil, égoutter et hacher finement. Mélanger [l']ail avec le persil et la chapelure.

2 Nettoyer les sardines, retirer délicatement les arêtes et [le]s viscères. Laver soigneusement les poissons, sécher et écarter [le]s flancs.

3 Disposer les sardines sur une plaque de four et arroser avec [un] peu d'huile d'olive. Saler.

4 Rouler les sardines dans le mélange à l'ail et les disposer de nouveau sur la plaque. Arroser encore une fois d'huile d'olive.

5 Faire cuire environ 15 min au four préchauffé. Presser le citron et arroser les sardines avant de servir.

Pour 4 personnes
6 gousses d'ail
1 bouquet de persil
45 ml (3 c. à soupe) de chapelure
500 g (1 lb) de sardines
60 ml (¼ t.) d'huile d'olive
gros sel marin
1 citron

Préparation : env. 25 min (plus temps de cuisson)

Pour 4 personnes

4 oranges

4 tranches de thon frais,
env. 125 g (4 oz)

sel

poivre

30 ml (2 c. à soupe) d'huile
d'olive

30 ml (2 c. à soupe) de jus
de citron

30 ml (2 c. à soupe) de
xérès sec

10 ml (2 c. à thé) de
moutarde

un peu de sucre fin

2 brins de thym

Préparation : env. 20 min

Pour 4 personnes

400 g (13 oz) de thon frais

sel, poivre

30 ml (2 c. à soupe) d'huile
d'olive

1 échalote

30 ml (2 c. à soupe) de
xérès sec

5 ml (1 c. à thé) de vinaigre
de xérès

15 ml (1 c. à soupe) de
câpres

Préparation : env. 20 min

Thon mariné

à l'orange
Atún a la naranja

1 Peler 2 oranges, émincer en fins quartiers en réservant le jus. Peler 1 ou 2 oranges à l'aide d'un économe, découper le zeste en lanières très fines (environ 15 ml (1 c. à soupe)). Presser les oranges.

2 Saler et poivrer le thon. Faire chauffer l'huile et faire cuire le thon sur tous les côtés environ 3 min. Il doit rester rose à cœur.

3 Retirer de la poêle, découper en lanières d'environ 1 cm (½ po) d'épaisseur et disposer dans un plat creux. Mélanger le jus de citron avec le xérès, la moutarde, le jus d'orange, une pointe de sucre, du sel et du poivre.

4 Verser la sauce sur le thon. Laver le thym, égoutter et effeuiller. Servir le thon garni avec des feuilles de thym, des morceaux et du zeste d'orange.

au xérès
Atún al jerez

1 Saler et poivrer le thon. Faire chauffer l'huile et faire cuire le thon sur tous les côtés environ 3 min. Il doit rester rose à cœur.

2 Retirer le thon, découper en lanières d'environ 1 cm (½ po) d'épaisseur et disposer dans un plat creux. Peler l'échalote et hacher très finement.

3 Mélanger soigneusement l'huile d'olive avec le xérès, le vinaigre de xérès, du sel et du poivre. Incorporer l'échalote et les câpres hachées. Verser le mélange sur le thon.

tartare de thon
tartar de atún

Congeler complètement le thon. Laisser légèrement dégeler couper en tout petits dés.

Placer les dés de thon dans une terrine. Égoutter le nichon et couper en petits morceaux. Égoutter également câpres et hacher finement.

Ajouter le cornichon et les câpres au thon. Presser le citron verser le jus sur le thon. Arroser avec un peu de vinaigre et uile d'olive. Mélanger soigneusement et laisser macérer 1 h.

4 Laver le basilic, égoutter et effeuiller. Hacher finement et mélanger avec le thon. Incorporer aussi le piment haché et le persil.

5 Répartir le tartare dans 4 ou 5 ramequins, préalablement rincés à l'eau, tasser la préparation et démouler.

6 Garnir le tartare avec de l'aneth et du citron et, saupoudrer de poivre fraîchement moulu.

Pour 4 personnes

500 g (1 lb) de thon frais

1 cornichon

30 ml (2 c. à soupe) de câpres en bocal

1 citron

vinaigre de vin blanc

huile d'olive

1 brin de basilic

1 piment doux haché

45 ml (3 c. à soupe) de persil finement haché

poivre

aneth pour la garniture

citron pour la garniture

Préparation : env. 20 min (plus temps de macération et de congélation)

ardines frites
ardinas fritas

Nettoyer les sardines, retirer les arêtes et les viscères avec caution. Laver délicatement les poissons, égoutter et ouvrir poissons.

Mélanger le vinaigre de vin avec 75 ml (⅓ t.) d'eau. Peler l, hacher finement et ajouter au vinaigre. Incorporer aussi le rier, l'origan, le sel et le poivre, puis mélanger soigneusement.

Laisser mariner les sardines au moins 3 h dans le mélange enu.

4 Retirer de la marinade et laisser égoutter sur du papier absorbant. Refermer les sardines et rouler dans la farine.

5 Faire chauffer l'huile de friture. Battre les œufs avec 15 ml (1 c. à soupe) d'eau, y rouler les sardines de sorte qu'elles soient bien recouvertes.

6 Faire frire les sardines immédiatement dans l'huile bouillante. Laisser égoutter les sardines sur du papier absorbant et servir immédiatement.

Pour 4 personnes

500 g (1 lb) de petites sardines

75 ml (⅓ t.) de vinaigre de vin rouge

4 gousses d'ail

1 feuille de laurier

10 ml (2 c. à thé) d'origan haché

sel, poivre

farine

huile de friture

2 œufs

Préparation : env. 30 min (plus temps de macération et de cuisson)

121

Pour 4 personnes

3 petits oignons rouges

2 gousses d'ail

1 bulbe de fenouil

2 carottes

8 filets de maquereau frais

275 ml (1 t. + 2 c. à soupe)
d'huile d'olive pressée à froid

2 feuilles de laurier

2 piments doux séchés

300 ml (1 ¼ t.) de vinaigre
de xérès

15 ml (1 c. à soupe) de
coriandre

*Préparation : env. 30 min
(plus temps de cuisson)*

Maquereaux marinés
Caballa escabechada

1   Peler les oignons et l'ail. Émincer les oignons en fines rondelles et hacher finement l'ail.

2   Nettoyer le fenouil, laver et couper en deux. Recouper en fines lanières. Nettoyer les carottes, peler et couper en fines rondelles.

3   Disposer les filets de poisson, peau vers le haut, sur une grille et badigeonner d'huile. Faire griller environ 5 min sous le gril jusqu'à ce que la peau devienne croustillante. Retirer et réserver.

4   Faire chauffer l'huile restante et faire blondir les oignons. Ajouter les carottes, le laurier, l'ail, le piment, le fenouil, le vinaigre et la coriandre. Couvrir et laisser mijoter 10 min jusqu'à ce que les carottes soient cuites.

5   Couper le poisson en morceau en supprimant la peau et les arêtes. Transférer dans une terrine et recouvrir avec le jus de cuisson. La terrine doit être remplie entièrement. Laisser refroidir complètement et fermer hermétiquement.

6   Laisser le poisson mariner au moins 24 h au réfrigérateur. Servir les morceaux de maquereau sur des tranches de pain grillé

ouchées de morue

ocaditos de bacalao

Laisser tremper le poisson recouvert d'eau 2 à 3 jours au
igérateur. Remplacer l'eau une ou deux fois par jour. Ensuite,
n laisser égoutter.

Faire chauffer l'huile dans une poêle. Peler l'ail, émincer
ment et faire revenir. Ajouter le piment et faire cuire.

Retirer l'ail et réserver. Plonger le poisson, peau vers le bas,
s l'huile bouillante et faire frire 3 min, en remuant de temps
emps.

4 Faire cuire le poisson de l'autre côté. Ajouter 15 ml (1 c. à
soupe) d'eau, couvrir et laisser cuire 15 min. Retirer le poisson et
le piment, et couper le poisson en morceaux.

5 Faire de nouveau chauffer l'huile. Battre l'œuf en mousse à
l'aide d'un mélangeur. Ajouter progressivement l'huile de la poêle
et continuer de battre jusqu'à ce qu'une mayonnaise se forme.

6 Répartir la mayonnaise sur le poisson. Servir garni d'ail et
de piment cuits.

Pour 4 personnes

**250 g (8 oz) de morue
salées avec la peau mais
sans arêtes**

75 ml (⅓ t.) d'huile d'olive

5 gousses d'ail

½ piment doux rouge

½ œuf battu

*Préparation : env. 15 min
(plus temps de trempage
et de cuisson)*

Pour 4 personnes

500 g (1 lb) de calmars moyens

200 ml (¾ t.) d'huile d'olive

3 oignons moyens

2 feuilles de laurier fraîches

sel, poivre

2 gousses d'ail

jus d'un demi-citron

15 à 30 ml (1 à 2 c. à soupe) de persil haché

quelques tranches de citron

Préparation : env. 20 min (plus temps de cuisson)

Calmars aux oignons
Calamares encebollados

1 Nettoyer soigneusement les calmars. Égoutter et couper en morceaux. Faire chauffer l'huile et faire revenir les calmars. Peler les oignons, couper en dés et ajouter aux calmars.

2 Ajouter le laurier, le sel et le poivre. Peler l'ail, hacher et incorporer aux calmars. Couvrir et laisser mijoter les calmars au moins 1 h.

3 Rectifier éventuellement l'assaisonnement en ajoutant du sel, du poivre et le jus de citron. Parsemer les calmars avec le persil, garnir avec des tranches de citron et servir.

Pour 4 personnes

500 g (1 lb) de petits calmars

1 petit oignon

4 gousses d'ail

60 ml (¼ t.) d'huile d'olive

sel marin

6 brins de persil

10 ml (2 c. à thé) de paprika fort en poudre

½ piment fort rouge séché

150 ml (⅔ t.) de fumet de poisson

Préparation : env. 25 min (plus temps de cuisson)

Calmars au piment
Calamares con pimiento

1 Nettoyer soigneusement les calmars. Égoutter et couper en morceaux. Peler l'oignon et l'ail et hacher finement.

2 Faire chauffer l'huile et faire revenir les calmars. Ajouter l'oignon et l'ail et poursuivre la cuisson. Saler avec le sel marin. Laver le persil, égoutter et hacher finement. Incorporer le persil, le paprika en poudre et le piment émietté. Mouiller avec le fumet de poisson ou un peu d'eau.

3 Couvrir et laisser mijoter au moins 1 h à feu doux. Avant de servir, laisser réduire le jus de cuisson. Rectifier éventuellement l'assaisonnement en ajoutant du sel et servir les calmars accompagnés de pain.

Pour 4 personnes

1,2 kg (3,2 lb) de petits calmars

1 oignon

90 ml (6 c. à soupe) d'huile d'olive

½ bouquet de persil

sel, poivre

125 ml (½ t.) de vin blanc

Préparation : env. 30 min (plus temps de cuisson)

Petits calmars au vin blanc
Calamares al vino blanco

1 Nettoyer les calmars soigneusement, les laver et laisser bien égoutter. Couper les trop gros calmars en morceaux.

2 Peler l'oignon et hacher finement. Faire chauffer l'huile d'olive et faire revenir les calmars. Ajouter l'oignon haché et poursuivre la cuisson.

3 Laver le persil, secouer et hacher finement. Ajouter le persil ainsi que le sel, le poivre et le vin blanc aux calmars. Recouvrir et laisser braiser lentement environ 45 min. Avant de servir accompagné de pain, rectifier éventuellement l'assaisonnement en ajoutant du sel et du poivre.

Calmars à la galicienne
calamares a la gallega

Peler les pommes de terre, laver et faire cuire 20 min dans 'eau salée. Laisser tiédir, couper en tranches et mettre dans une ne. Nettoyer les calmars, laver et couper en fines rondelles.

Décortiquer les crevettes, déveiner, laver et égoutter. Saler. e chauffer 30 ml (2 c. à soupe) d'huile d'olive. Peler l'ail et revenir à feu doux dans l'huile, avec les crevettes et les delles de calmar jusqu'à ce que les crevettes rosissent.

3 Ébouillanter les tomates 30 secondes, puis les monder et les couper en deux. Couper le pédoncule, épépiner et couper en dés. Mettre les crevettes et les calmars dans la terrine avec les pommes de terre. Ajouter les dés de tomate et mélanger délicatement.

4 Faire chauffer à feu vif l'huile restante et en arroser la préparation. Saler, poivrer et mélanger. Répartir dans des ramequins et servir avec du pain frais.

Pour 4 personnes

1 pomme de terre moyenne à chair ferme

sel, poivre

300 g (10 oz) de calmars

175 g (6 oz) de crevettes

45 à 75 ml (3 à 5 c. à soupe) d'huile d'olive

2 gousses d'ail

1 tomate

Préparation : env. 30 min

125

Pour 4 personnes

500 g (1 lb) de crevettes
prêtes à l'emploi

2 gousses d'ail

75 ml (⅓ t.) d'huile d'olive

30 ml (2 c. à soupe) de jus
de citron

sel, poivre

2 jaunes d'œufs

1 pincée de safran
en poudre

env. 200 ml (¾ t.) d'huile
de tournesol

*Préparation : env. 15 min
(plus temps de cuisson)*

126

Pour 4 personnes

2 piments doux rouges

1 piment doux vert

4 gousses d'ail

7 ou 8 brins de persil

100 ml (⅓ t.) d'huile d'olive

15 ml (1 c. à soupe) de jus
de citron

5 ml (1 c. à thé) de gros
sel marin

500 g (1 lb) de crevettes
prêtes à l'emploi

Préparation : env. 15 min

Crevettes au four

à la mayonnaise au safran
Gambas al horno con salsa de azafrán

1   Préchauffer le four à 180 °C (350 °F). Décortiquer les crevettes en conservant la queue. Laver les crevettes et essuyer. Peler l'ail et hacher finement.

2   Bien mélanger l'huile d'olive avec l'ail, 15 ml (1 c. à soupe) de jus de citron et du sel. Ajouter les crevettes et mélanger soigneusement. Transférer le tout dans un plat à gratin ou un plat en fonte et faire cuire environ 20 min au four.

3   Pendant ce temps, mélanger énergiquement les jaunes d'œufs avec le safran en poudre, le sel et 15 ml (1 c. à soupe) de jus de citron. Au début, verser l'huile de tournesol goutte à goutte, puis ajouter progressivement le reste d'huile en un fin filet. Rectifier l'assaisonnement en ajoutant du sel et du poivre. Servir les crevettes cuites avec la mayonnaise au safran et du pain grillé.

à la mode classique
Gambas al horno

1   Préchauffer le four à 180 °C (350 °F). Nettoyer les piments, laver et couper en deux. Couper le pédoncule, épépiner et hacher finement. Peler l'ail et hacher finement. Laver le persil, égoutter et hacher finement.

2   Mélanger les piments avec l'huile d'olive, l'ail, le jus de citron et le sel. Incorporer les crevettes. Transférer dans un plat à gratin ou un plat en fonte et faire cuire environ 20 min au four. Parsemer de persil et servir.

Homard mariné

angosta marinada

1 Verser le fumet de poisson avec 175 ml (¾ t.) d'eau, les [tra]nches de citron, la feuille de laurier et les herbes lavées dans [un] fait-tout.

2 Peler les oignons, couper en quatre et les incorporer au [bou]illon. Porter à ébullition et ajouter quelques grains de poivre [gro]ssièrement concassés.

3 Plonger le homard dans l'eau de cuisson bouillante et [lai]sser mijoter environ 20 min.

4 Pour la sauce, mélanger l'huile d'olive énergiquement avec le jus de citron, saler et poivrer.

5 Laisser refroidir le homard, puis retirer la carapace. Couper la chair en petits morceaux.

6 Extraire également la chair des pinces et la couper en morceaux. Disposer sur les assiettes et arroser avec un peu de sauce. Parsemer de cresson et servir.

Pour 4 personnes

150 ml (⅔ t.) de fumet de poisson

2 tranches de citron

1 feuille de laurier

1 brin de thym

1 brin de persil

1 oignon

quelques grains de poivre

1 homard, env. 1 kg (2,2 lb)

60 ml (¼ t.) d'huile d'olive

15 ml (1 c. à soupe) de jus de citron

sel, poivre

cresson pour servir

Préparation : env. 15 min (plus temps de cuisson)

Dorade frite

esugo rebozado

1 Mélanger la farine et la fécule avec un peu de sel et 250 ml [(1 tasse) d'eau jusqu'à obtention d'un mélange lisse. Incorporer [un] peu de jus de citron et le jaune d'œuf. Couvrir et laisser lever [30] min au réfrigérateur.

2 Pendant ce temps, laver le citron, sécher et couper en [mo]rceaux. Couper le poisson en morceaux.

3 Laver le poisson, sécher et recouper en cubes. Saupoudrer avec un peu de farine et plonger dans la pâte. Faire chauffer l'huile de friture jusqu'à ce qu'elle commence à fumer.

4 Faire dorer le poisson et laisser cuire à point. Retirer de la sauteuse et laisser égoutter sur du papier absorbant. Garnir avec du citron et servir très chaud.

Pour 4 personnes

125 ml (½ t.) de farine

60 ml (¼ t.) de fécule de maïs

sel

5 à 10 ml (1 à 2 c. à thé) de jus de citron

1 jaune d'œuf

1 citron pour la garniture

500 g (1 lb) de filet de dorade

farine

huile de friture

Préparation : env. 15 min (plus temps de cuisson)

Escargots à l'andalouse
Caracoles a la andaluza

Pour 4 personnes

500 g (1 lb) d'escargot de Bourgogne cuits

125 g (4 oz) de jambon serrano

4 tomates

2 oignons

4 gousses d'ail

45 ml (3 c. à soupe) d'huile d'olive

1 feuille de laurier

1 piment doux séché

sel

15 ml (1 c. à soupe) de paprika très fort en poudre

75 ml (⅓ t.) d'amandes pilées

un peu de safran

persil haché pour servir

Préparation : env. 20 min (plus temps de cuisson)

1 Égoutter les escargots. Couper le jambon en fines lanières.

2 Ébouillanter la tomate 30 secondes, puis monder et couper en deux. Couper le pédoncule, épépiner et hacher finement. Peler et hacher finement les oignons et l'ail.

3 Faire chauffer l'huile d'olive et faire revenir les oignons et l'ail. Ajouter le laurier, le piment doux et les tomates. Laisser mijoter 20 min.

4 Saler la préparation et incorporer le piment en poudre et le jambon. Laisser cuire encore 5 min.

5 Ajouter ensuite les escargots, les amandes et le safran, et laisser mijoter encore 10 min à feu doux. Disposer dans des plat creux et servir parsemé de beaucoup de persil et accompagné de pain frais.

130

spadon à la sauce safran
ez espada al azafrán

1 Laver le poisson, essuyer et découper en gros cubes
4 x 4 cm (1 ½ x 1 ½ po). Peler l'oignon et l'ail, et hacher
ement. Faire chauffer l'huile et faire revenir l'oignon et l'ail.

2 Ajouter le poivron coupé en dés et faire cuire jusqu'à ce qu'il
vienne tendre. Ajouter les dés de tomate et laisser cuire environ
min à feu vif.

3 Ajouter le cognac et le bouillon, et mélanger. Rectifier
l'assaisonnement en ajoutant du sel, du poivre et beaucoup de
noix de muscade. Ajouter le safran et bien mélanger.

4 Incorporer le poisson coupé en cubes et laisser mijoter
environ 10 min à feu doux, jusqu'à ce que le poisson soit à point.
Servir le poisson dans la sauce accompagné de pain.

Pour 4 personnes

500 g (1 lb) d'espadon

1 petit oignon

1 gousse d'ail

15 ml (1 c. à soupe) d'huile d'olive

15 ml (1 c. à soupe) de poivron vert haché

1 tomate mondée et coupée en dés

30 ml (2 c. à soupe) de cognac

30 à 45 ml (2 à 3 c. à soupe) de bouillon de volaille

sel, poivre

5 ml (1 c. à thé) de noix de muscade râpée

1 pincée de safran moulu

*Préparation : env. 15 min
(plus temps de cuisson)*

Pétoncles au piment
Vieiras picantes

Pour 4 personnes

1 piment doux rouge

1 gousse d'ail

100 ml (⅓ t.) d'huile d'olive

15 ml (1 c. à soupe) de jus
de citron vert

sel

4 pétoncles dans leurs
coquilles

persil haché

Préparation : env. 15 min

1 Nettoyer le piment, laver et couper en deux. Couper le pédoncule, épépiner et hacher finement. Peler l'ail et hacher finement.

2 Mélanger l'huile d'olive avec le piment, l'ail, le jus de citron vert et le sel. Ajouter la pétoncle extraite de la coquille et bien mélanger avec l'huile assaisonnée.

3 Répartir la préparation dans les coquilles et faire griller environ 5 min sous le gril. Parsemer avec du persil haché et servir immédiatement.

Palourdes au mojo de coriandre
Almejas con mojo de cilantro

Pour 4 personnes

60 palourdes

4 c. à soupe de mojo
de coriandre (en bocal)

4 c. à soupe de miettes de
pain rassis

Préparation : env. 15 min
(plus temps de cuisson)

1 Préchauffer le four à 230 °C (450 °F). Mettre les palourdes dans un fait-tout. Ajouter 4 litres (16 tasses) d'eau, couvrir et porter à ébullition. Laisser les praires cuire quelques minutes jusqu'à ce qu'elles s'ouvrent, en secouant le fait-tout de temps en temps.

2 Retirer les palourdes et détacher les noix des coquilles. Jeter la moitié des coquilles. Hacher finement les noix et mélanger avec le mojo de coriandre et le pain émietté.

3 Remplir les coquilles restantes avec le mélange et faire gratiner environ 10 min au four préchauffé. Servir immédiatement.

Moules marinées
Mejillones marinados

Pour 4 personnes

½ petite carotte

1 branche de céleri, env.
15 cm

1 rondelle d'oignon

75 ml (⅓ t.) de vin blanc

2,5 ml (½ c. à thé) de
vinaigre de vin

2,5 ml (½ c. à thé) de thym

1 clou de girofle

sel, poivre

250 g (8 oz) de moules

10 ml (2 c. à thé) de beurre

10 ml (2 c. à thé) de
persil haché

Préparation : env. 25 min
(plus temps de cuisson)

1 Nettoyer la carotte, peler et couper en fines rondelles. Nettoyer le céleri, laver et hacher. Couper la rondelle d'oignon en deux.

2 Porter le vin à ébullition avec le vinaigre, l'oignon, le céleri, la carotte ainsi que le thym, le clou de girofle, le sel et le poivre dans un fait-tout. Couvrir en laisser mijoter 10 min.

3 Ajouter les moules et laisser mijoter environ 6 min. Retirer les moules et maintenir au chaud. Jeter les moules qui ne sont pas ouvertes. Incorporer le beurre et le persil au jus de cuisson. Remettre les moules dans la sauce, faire réchauffer et servir.

Palourdes au piment et au xérès

Imejas a la marinera con guindilla

1 Peler les oignons et émincer en très fines tranches. Couper le jambon en tout petits dés. Laver le piment, couper en deux. Sécher couper en petits morceaux.

2 Faire chauffer l'huile d'olive et faire blondir les oignons ouvert environ 10 min à feu doux.

3 Ajouter le jambon et le piment, arroser avec le xérès ajouter les palourdes.

4 Laisser cuire à feu doux quelques minutes à découvert, jusqu'à ce que les palourdes s'ouvrent.

5 Retirer les palourdes et éliminer celles qui ne sont pas ouvertes. Remettre les palourdes restantes dans le jus de cuisson. Servir les palourdes avec le jus de cuisson.

Pour 4 personnes

5 oignons

60 g (2 oz) de jambon

1 petit piment doux rouge

30 ml (2 c. à soupe) d'huile d'olive

15 ml (1 c. à soupe) de xérès demi-sec

60 petites palourdes prêtes à l'emploi

Préparation : env. 15 min (plus temps de cuisson)

133

Sauces, pains et fromages

Le pain et le fromage sont bien sûr
parfaits avec le vin. Qu'ils soient grillés
ou non, aillés ou à tremper dans
une sauce froide, en dés ou marinés,
ils restent exquis sous toutes
leurs formes.

Sauce à l'ail
Salsa al ajillo

Pour 4 personnes
½ tête d'ail
sel
30 ml (2 c. à soupe) d'olives vertes
100 ml (⅓ t.) de câpres en bocal
env. 500 ml (2 t.) d'huile d'olive pressée à froid
4 jaunes d'œufs
poivre noir
un peu de jus de citron

Préparation : env. 10 min

1 Peler l'ail, dissocier les gousses et mixer avec un peu de sel à l'aide d'un robot culinaire. Dénoyauter les olives et ajouter à l'ail. Égoutter les câpres et incorporer à l'ail.

2 Mixer avec autant d'huile d'olive pressée à froid que nécessaire pour obtenir une consistance crémeuse.

3 Incorporer le jaune d'œuf et mixer énergiquement jusqu'à obtention d'un mélange homogène. Rectifier l'assaisonnement en ajoutant du sel, du poivre fraîchement moulu et du jus de citron.

4 La sauce peut se conserver 3 à 4 jours au réfrigérateur. Elle s'harmonise particulièrement bien avec des brochettes de viande ou de poisson grillés.

Aïoli
Alioli

Pour 4 personnes
5 gousses d'ail
sel
un peu de jus de citron
150 ml (⅔ t.) d'huile d'olive pressée à froid

Préparation : env. 10 min

1 Peler l'ail et le piler dans un mortier. Ajouter du sel et piler jusqu'à obtention d'une pâte onctueuse. Ajouter un peu de jus de citron et bien mélanger. Incorporer l'huile d'olive pressée à froid au goutte à goutte, sans cesser de remuer.

2 Si la sauce doit être un peu plus épaisse, la lier avec une pomme de terre fraîchement cuite et réduite en purée.

3 Les pommes de terre, toutes sortes de poissons chauds ou froids et les escargots exhaussent le goût de cette sauce.

Figues farcies au four
Higos rellenos al horno

1. Préchauffer le four à 190 °C (375 °F). Nettoyer les figues sécher avec précaution. Couper les figues en quatre sans séparer complètement les quartiers.

2. Couper le fromage en 8 morceaux. Laver l'orange à l'eau chaude et sécher. Râper l'écorce d'orange à l'aide d'un canneleur. Laver le romarin et égoutter.

3. Fourrer une figue avec un morceau de fromage, parsemer de zeste d'orange et saupoudrer d'un peu de piment de Cayenne et de sel.

4. Envelopper chaque figue d'une tranche de jambon serrano et maintenir en piquant un brin de romarin.

5. Disposer les figues sur une plaque de four et arroser avec un peu d'huile d'olive. Faire cuire environ 10 min au four. Parsemer de grains de poivre et servir chaud ou très chaud.

Pour 4 personnes

8 figues fraîches

150 g (5 oz) de fromage de chèvre tendre

1 orange

8 brins de romarin

1 pincée de piment de Cayenne

sel

8 fines tranches de jambon serrano

30 ml (2 c. à soupe) d'huile d'olive

grains de poivre rouge

Préparation : env. 15 min (plus temps de cuisson)

139

Pain perdu
Torrijas

1. Battre les œufs dans une assiette creuse. Verser le vin rouge ou le xérès dans une autre assiette creuse.

2. Faire chauffer l'huile dans une poêle.

3. Immerger les tranches de pain l'une après l'autre, d'abord dans le vin puis dans l'œuf battu.

4. Faire cuire les tranches de pain immédiatement dans l'huile chaude pour les faire dorer des deux côtés, jusqu'à ce qu'elles soient croustillantes.

5. Retirer le pain de la poêle, laisser égoutter sur du papier absorbant et saupoudrer avec un peu de sucre et de cannelle en poudre.

Pour 4 personnes

2 œufs

environ 100 ml (⅓ t.) de vin rouge ou de xérès

60 ml (¼ t.) d'huile

8 épaisses tranches de pain blanc sec

sucre pour saupoudrer

1 pincée de cannelle

Préparation : env. 15 min

Pour 4 personnes

1 boîte de 400 ml (14 oz)
de tomates

5 gousses d'ail

30 ml (2 c. à soupe) de
vinaigre de vin

sel, poivre

cumin

1 pincée de paprika
en poudre

60 ml (¼ t.) d'huile d'olive
pressée à froid

500 g (1 lb) de tomates
(env. 4)

Préparation : env. 15 min
(plus temps de réfrigération)

Tomates en coulis
Tomates aliñados

1 Réduire les tomates en boîte en purée avec leur jus dans un
mélangeur. Peler l'ail, hacher et ajouter.

2 Ajouter le vinaigre de vin, incorporer progressivement
l'huile d'olive.

3 Laver, puis essuyer les tomates fraîches. Couper le
pédoncule et couper en quartiers.

4 Disposer les tranches de tomate dans un plat et napper ave[c]
la sauce tomate. Placer au réfrigérateur 30 min avant de servir.

Figues farcies au fromage
Higos rellenos de queso

1 Nettoyer les figues et les sécher avec précaution. Couper
s figues en tranches et arroser de xérès.

2 Couper le fromage en 8 morceaux d'environ 4 x 4 cm
1 ½ x 1 ½ po) et disposer dans un plat creux.

3 Laver le thym, égoutter et effeuiller.

4 Mélanger le thym avec l'huile d'olive et le poivre, ajouter
au fromage et remuer. Couvrir et laisser mariner au moins 1 h.

5 Superposer les tranches de figue en alternant avec
2 morceaux de fromage par fruit et servir.

Pour 4 personnes

4 figues fraîches

**15 à 30 ml (1 à 2 c. à soupe)
de xérès doux**

**175 g (6 oz) de fromage
espagnol**

un peu de thym

**30 ml (2 c. à soupe)
d'huile d'olive**

poivre

*Préparation : env. 10 min
(plus temps de macération)*

Pour 4 personnes

200 g (7 oz) de tomates

1 petit oignon

6 brins de coriandre

3 piments doux

sel

Préparation : env. 15 min

Condiment au piment
Salsa picante

1 Laver et sécher les tomates. Couper en deux, supprimer la base du pédoncule et couper en dés.

2 Peler l'oignon et hacher finement. Laver la coriandre, égoutter et hacher finement.

3 Nettoyer le piment, laver et couper en deux. Supprimer le pédoncule et couper en petits morceaux. Transférer tous les légumes dans un saladier. Bien mélanger avec du sel et un peu d'eau froide, jusqu'à obtention de la consistance souhaitée. Servir le condiment immédiatement.

Pour 4 personnes

3 œufs

1 grosse tête d'ail

1 oignon

2 bouquets de persil

250 ml (1 tasse) d'huile d'olive

sel

env. 150 ml (⅔ t.) de bouillon de légumes ou de viande

Préparation : env. 15 min

Sauce verte
Salsa verde

1 Faire cuire les œufs 10 min, puis refroidir à l'eau froide et écaler. Pendant ce temps, peler l'ail et l'oignon, et hacher finement. Laver le persil, égoutter et hacher finement.

2 Faire chauffer l'huile d'olive dans une poêle. Faire revenir et dorer l'ail et l'oignon. Laisser tiédir, puis piler dans un mortier ou au mélangeur.

3 Ajouter le persil avec l'œuf coupé grossièrement en morceaux. Travailler le tout jusqu'à obtention d'une pâte. Verser autant de bouillon que nécessaire pour que la sauce prenne la consistance voulue.

Pour 4 personnes

12 amandes

2 tranches de pain blanc

50 ml (¼ t.) d'huile d'olive

4 gousses d'ail

1 boîte de tomates (env. 400 ml (14 oz))

1 poivron mariné

1 piment doux sec

150 ml (⅔ t.) de vin de la Rioja

15 ml (1 c. à soupe) de vinaigre de vin

paprika en poudre, sel, poivre

Préparation : env. 15 min

Sauce romesco
Salsa romesco

1 Faire griller les amandes à sec dans une poêle. Faire dorer les tranches de pain des deux côtés dans l'huile d'olive, retirer et passer au mélangeur avec l'huile de cuisson.

2 Peler l'ail, hacher grossièrement et incorporer au pain. Ajouter aussi les tomates avec leur jus.

3 Réduire le poivron en purée et l'ajouter aux autres ingrédients dans le mélangeur, avec les amandes et le piment coupé en morceaux. Incorporer le vin et le vinaigre, puis rectifier l'assaisonnement en ajoutant éventuellement du paprika en poudre, du sel et du poivre.

Salsa fresca
alsa fresca

1. Nettoyer les oignons verts, laver puis couper en petits orceaux.

2. Ébouillanter les tomates, monder et couper en deux. uper le pédoncule, épépiner et couper en petits dés.

3. Couper le piment en morceaux. Mélanger l'huile avec la ère, le jus de citron, la pâte de tomates, le sucre et le sel. Peler échalotes, hacher et ajouter au mélange.

4. Saler les légumes préparés, ajouter à la sauce et mélanger.

5. Laisser la salsa macérer au moins 1 h. La salsa fresca se marie très bien avec la viande.

Pour 4 personnes

1 botte d'oignons verts

500 g (1 lb) de tomates

2 piments doux verts

60 ml (¼ t.) d'huile

60 ml (¼ t.) de bière

15 ml (1 c. à soupe) de jus de citron

15 ml (1 c. à soupe) de pâte de tomates

10 ml (2 c. à thé) de sucre

sel

1 gousse d'ail

Préparation : env. 20 min (plus temps de macération)

143

Pour 4 personnes

1 gousse d'ail

1 échalote

125 ml (½ t.) d'olives noires

7 tomates séchées à l'huile

2 oignons verts

125 g (4 oz) de fromage frais

15 ml (1 c. à soupe) d'huile d'olive

sel

piment de Cayenne

un peu de basilic

Préparation : env. 15 min

Pour 4 personnes

1 gousse d'ail

125 ml (½ t.) d'olives noires

7 tomates séchées à l'huile

15 ml (1 c. à soupe) d'huile d'olive

sel

1 pincée de piment de Cayenne

un peu de basilic

Préparation : env. 10 min

Tapenade de tomates au fromage frais

Tapenade de tomate y queso

1 Peler l'ail et l'échalote, hacher finement et placer dans un mélangeur. Dénoyauter les olives, couper en gros morceaux et ajouter au mélange. Couper les tomates en gros morceaux et ajouter au mélange avec l'huile. Réduire l'ensemble en une purée fine.

2 Nettoyer les oignons verts, laver et hacher grossièrement. Passer au mélangeur pour réduire en purée. Ajouter et mélanger brièvement le fromage frais accompagné de l'huile d'olive. Rectifier l'assaisonnement en ajoutant du sel et le piment de Cayenne. Si la pâte est trop ferme, rajouter de l'huile d'olive.

3 Laver le basilic, égoutter et effeuiller. Transférer le tout dans un saladier et servir accompagné de pain grillé ou de pommes de terre au four.

à la mode classique

Tapenade de tomate

1 Peler l'ail, hacher finement et placer dans un mélangeur. Dénoyauter les olives, couper en gros morceaux et ajouter à l'ail. Couper les tomates en gros morceaux et ajouter au mélange avec l'huile. Mixer et réduire l'ensemble en une purée fine.

2 Ajouter l'huile d'olive et mélanger brièvement. Rectifier l'assaisonnement en ajoutant du sel et le piment de Cayenne. Laver le basilic, égoutter et effeuiller. Garnir la tapenade de basilic et servir avec du pain grillé.

Pain catalan
Pan tostado con tomate

Verser l'huile d'olive pressée à froid dans un petit saladier. Peler l'ail, hacher et ajouter à l'huile d'olive.

2. Faire dorer les tranches de pain l'une après l'autre à la poêle dans de l'huile aillée très chaude.

3. Retirer le pain, laisser tiédir et badigeonner d'huile aillée sur les deux faces.

4. Laver les tomates très mûres, essuyer et couper en deux.

5. Frotter énergiquement les tranches de pain avec les demi-tomates et servir avec les tomates.

Pour 4 personnes

75 ml (5 c. à soupe) d'huile d'olive pressée à froid

4 gousses d'ail

4 tranches de pain de campagne, env. 2 cm d'épaisseur

1 ou 2 tomates très mûres

Préparation : env. 15 min

147

Pain grillé aux crevettes aillées
Tostadas de gambas al ajillo

Saupoudrer les crevettes de sel marin et laisser macérer environ 10 min. Peler les gousses d'ail et couper en deux.

2. Faire chauffer l'huile d'olive dans une poêle et faire fondre l'ail et le piment sec sans faire dorer l'ail. Hacher l'ail et incorporer à l'huile.

3. Ajouter les crevettes et faire cuire en remuant jusqu'à ce qu'elles rosissent et soient cuites à point. Retirer la poêle du feu.

4. Faire griller les tranches de pain des deux côtés pour qu'elles soient bien dorées. Disposer les crevettes sur le pain et parsemer avec du persil haché.

Pour 4 personnes

250 g (8 oz) de crevettes prêtes à l'emploi

sel marin

2 gousses d'ail

30 ml (2 c. à soupe) d'huile d'olive

2 piments doux secs

12 petites tranches de pain de campagne

30 ml (2 c. à soupe) de persil

Préparation : env. 10 min (plus temps de macération)

Manchego à la gelée de coings
Queso manchego con membrillo

Pour 4 personnes

200 ml (¾ t.) d'abricots frais ou secs

150 ml (⅔ t.) de gelée de coings

400 g (13 oz) de manchego

15 ml (1 c. à soupe) d'amandes hachées

un peu de romarin pour la garniture

Préparation : env. 15 min (plus temps de trempage)

1 Faire tremper les abricots secs environ 15 min dans l'eau chaude puis les couper en morceaux. En cas d'utilisation d'abricots frais, peler, couper en deux et dénoyauter. Ensuite, couper des tranches d'environ 3 mm d'épaisseur.

2 Faire légèrement chauffer la gelée de coings dans une casserole et mélanger avec les abricots.

3 Couper le fromage avec la croûte en tranches d'environ 5 mm (¼ po) d'épaisseur. Découper les tranches en petits triangle

4 Disposer le mélange d'abricots sur les triangles de fromag Parsemer avec des amandes hachées et garnir de romarin lavé. Servir avec ou sans pain.

Sauce piquante au fromage

salsa picante de queso

1   Faire tremper les piments doux et les piments forts séchés ~~viron~~ 30 min dans l'eau chaude. Égoutter soigneusement, ~~cher~~ finement et piler dans un mortier ou un mélangeur.

2   Peler l'ail, hacher finement et apporter aux piments avec ~~sel~~. Réduire en purée fine.

3   Transférer la purée dans un saladier. Incorporer le fromage ~~chement~~ râpé et mélanger.

4   Incorporer progressivement l'huile d'olive en battant énergiquement la sauce. Remuer aussi longtemps que nécessaire pour obtenir un mélange homogène.

5   Laver la coriandre ou le persil, égoutter et utiliser pour garnir la sauce au fromage. Servir avec des croûtons de pain grillés.

Pour 4 personnes

4 piments doux séchés

2 piments forts séchés

2 gousses d'ail

sel

90 ml (6 c. à soupe) de manchego fraîchement râpé

env. 60 ml (¼ t.) d'huile d'olive

un peu de coriandre ou de persil pour la garniture

Préparation : env. 15 min (plus temps de trempage)

Pour 4 personnes

200 g (7 oz) de manchego

200 g (7 oz) d'olives vertes

2 petits oignons

8 gousses d'ail

env. 200 ml (¾ t.) d'huile d'olive

1 bouquet de persil

Préparation : env. 15 min (plus temps de macération)

Manchego aux olives
Queso manchego con aceitunas

1   Couper le manchego en morceaux de la taille d'une bouchée. Dénoyauter les olives et couper en deux. Peler les oignons et l'ail, et hacher finement les oignons.

2   Placer tous les ingrédients préparés dans un récipient. Hacher l'ail et ajouter aux ingrédients. Ajouter l'huile d'olive et bien mélanger.

3   Laver le persil, égoutter et hacher. Ajouter à la préparation et mélanger soigneusement. Avant de servir, couvrir et laisser mariner environ 2 h. Servir à température ambiante.

Pour 4 personnes

300 g (10 oz) de fromage de chèvre frais

10 ml (2 c. à thé) de grains de poivre noir

5 gousses d'ail

2 brins de coriandre

2 brins d'origan

3 citrons

3 piments doux rouges

250 g (8 oz) d'olives noires

60 à 90 ml (4 à 6 c. à soupe) d'huile d'olive

Préparation : env. 15 min (plus temps de macération)

Fromage de chèvre aux olives
Queso de cabra con aceitunas

1   Couper le fromage de chèvre en morceaux de la taille d'une bouchée. Concasser le poivre. Peler l'ail et émincer finement.

2   Laver les herbes, égoutter et effeuiller. Laver les citrons, essuyer et couper en fines tranches. Nettoyer les piments, laver et couper en deux. Couper le pédoncule et épépiner. Égoutter les olives, dénoyauter et couper en petits morceaux.

3   Transférer tous les ingrédients dans un saladier et mélanger avec autant d'huile d'olive que nécessaire pour que l'ensemble soit imprégné. Laisser la salade de fromage macérer 30 min et servir à température ambiante.

Pour 4 personnes

500 g (1 lb) de fromage frais

4 échalotes

5 gousses d'ail

150 ml (⅔ t.) d'huile d'olive

1 bouquet d'herbes de Provence

2 piments doux séchés

sel

Préparation : env. 10 min (plus temps de macération)

Fromage frais mariné
Queso tierno en aliño

1   Couper le fromage en morceaux de la taille d'une bouchée et placer dans un récipient hermétique. Peler les échalotes et l'ail, hacher grossièrement et incorporer au fromage.

2   Laver les herbes, égoutter et hacher finement. Incorporer aussi au fromage. Ajouter les piments émiettés.

3   Mélanger le tout avec l'huile d'olive. Refermer le récipient, laisser le fromage mariner au moins 2 jours, en remuant de temps en temps. Rectifier l'assaisonnement du fromage mariné en ajoutant du sel et servir accompagné de pain.

Fromage de brebis mariné aux fines herbes

Queso de oveja a las finas hierbas

1. Pour la marinade, nettoyer les poivrons verts, laver et couper deux. Couper le pédoncule, épépiner et couper en petits dés.

2. Peler l'ail et hacher très finement. Laver les herbes, égoutter hacher finement.

3. Piler les dés de poivron, l'ail et les herbes hachées dans un ortier avec 2,5 ml (½ c. à thé) de sel et le cumin. Concasser le t finement.

4. Mélanger l'huile d'olive avec le vinaigre et incorporer progressivement au mélange d'herbes. Diluer légèrement la sauce.

5. Couper le fromage de brebis en morceaux d'environ 2,5 cm (1 po) et placer dans un récipient. Verser toute la marinade sur le fromage et mélanger délicatement.

6. Couvrir et laisser mariner au réfrigérateur toute la nuit.

Pour 4 personnes

2 poivrons verts

4 gousses d'ail

½ bouquet de coriandre

½ bouquet de persil

sel

1 ml (¼ de c. à thé) de cumin moulu

100 ml (⅓ t.) d'huile d'olive pressée à froid

75 ml (5 c. à soupe) de vinaigre de vin rouge

450 g (15 oz) de fromage de brebis frais

Préparation : env. 20 min (plus temps de macération)

Croûtons

au bacon et au boudin

Migas con panceta y morcilla

Pour 4 personnes

500 g (1 lb) de pain blanc rassis

175 g (6 oz) de bacon maigre

175 g (6 oz) de boudin noir

90 ml (6 c. à soupe) d'huile d'olive

3 gousses d'ail

sel, poivre

Préparation : env. 20 min (plus temps de cuisson)

1   Couper le pain rassis de 2 jours en petits morceaux ou en tranches, puis détailler en croûtons. Mettre dans un saladier et laisser tremper dans un peu d'eau froide. Envelopper dans un torchon de cuisine humide et laisser reposer toute la nuit.

2   Le lendemain, couper le bacon maigre en petits dés. Couper aussi le boudin en petits dés. Faire chauffer l'huile d'olive dans une grande poêle. Peler l'ail et faire revenir les gousses entières, retirer et réserver. Faire griller le bacon dans l'huile de cuisson, ajouter les dés de boudin et faire cuire environ 3 min. Retirer le lard et le boudin, et réserver.

3   Faire griller les croûtons 15 min dans l'huile d'olive très chaude, sans cesser de remuer jusqu'à ce qu'ils soient croustillants. Remettre le bacon, les dés de boudin et l'ail dans la poêle. Laisser cuire encore 3 min et servir.

à la mode classique

Migas

Pour 4 personnes

500 g (1 lb) de pain blanc rassis

2 gousses d'ail

90 ml (6 c. à soupe) d'huile d'olive

sel, poivre

Préparation : env. 15 min (plus temps de trempage et de cuisson)

1   Couper le pain rassis de 2 jours en petits morceaux ou en tranches, puis détailler en croûtons. Mettre dans un saladier et laisser tremper dans un peu d'eau froide. Envelopper dans un torchon de cuisine humide et laisser reposer toute la nuit.

2   Le lendemain, faire chauffer l'huile d'olive dans une grande poêle. Peler l'ail et faire revenir les gousses entières, puis retirer.

3   Faire griller les croûtons 15 min dans l'huile d'olive très chaude, sans cesser de remuer jusqu'à ce qu'ils soient croustillants.

152

Tapenade à l'andalouse
Tapenade a la andaluza

1 Égoutter les olives et les câpres, puis dénoyauter les olives.

2 Mettre les olives et les câpres dans un mélangeur.

3 Ajouter le thon égoutté et les filets d'anchois. Verser aussi le [ju]s de citron et la moutarde, et réduire le tout en fine purée.

4 Incorporer l'huile d'olive avec précaution sans cesser de [m]ixer. Mixer jusqu'à obtention de la consistance souhaitée.

5 Ajouter les herbes, le sel et le poivre fraîchement moulu, et mixer de nouveau.

6 Rectifier éventuellement l'assaisonnement, couvrir et laisser mariner au moins 3 h.

Pour 4 personnes
150 g (5 oz) d'olives noires
30 ml (2 c. à soupe) de câpres
½ boîte de thon à l'huile
6 filets d'anchois
15 ml (1 c. à soupe) de jus de citron
5 ml (1 c. à thé) de moutarde
90 ml (6 c. à soupe) d'huile d'olive
2,5 ml (½ c. à thé) d'herbes sèches (par ex. thym, romarin et origan)
poivre

Préparation : env. 15 min (plus temps de macération)

155

Boulettes de fromage frites
Bolitas de queso rebozadas

1 Faire chauffer l'huile d'olive à 180 °C (350 °F). Pendant [c]e temps, battre les blancs d'œufs en neige dans une terrine. Ils ne [d]oivent pas devenir trop fermes.

2 Laver les herbes, égoutter et hacher finement. Râper [fi]nement le fromage. Ajouter avec les herbes hachées aux œufs [e]n neige et incorporer délicatement. Saler, poivrer et saupoudrer [d]e paprika en poudre.

3 Avec la préparation, former des boulettes de la taille d'une noix à l'aide de deux cuillères à thé. Plonger immédiatement dans l'huile d'olive bouillante. Faire frire environ 3 min sur toute la surface jusqu'à ce que les boulettes soient dorées.

4 Retirer de l'huile et laisser égoutter sur du papier absorbant. Servir garni de thym.

Pour 4 personnes
huile d'olive pour la friture
2 blancs d'œufs
5 tiges d'herbes, par ex. persil, ciboulette
120 g (4 oz) de manchego
75 g (2 ½ oz) de morceaux de pain frais
sel, poivre
paprika en poudre
quelques brins de thym pour la garniture

Préparation : env. 15 min (plus temps de cuisson)

Pour 4 personnes

1 grosse aubergine

jus d'un demi-citron

30 à 45 ml (2 à 3 c. à soupe)
d'huile d'olive pressée à
froid

2 gousses d'ail

30 ml (2 c. à soupe) de
coriandre hachée ou de persil

2,5 ml (½ c. à thé) de piment
de Cayenne

sel

poivre fraîchement moulu

*Préparation : env. 10 min
(plus temps de macération
et de cuisson)*

Purée d'aubergine
Puré de berenjenas

1 Préchauffer le four à 200 °C (400 °F). Disposer l'aubergine sur une plaque de four et faire cuire environ 30 min au four préchauffé, jusqu'à ce que la peau noircisse.

2 Retirer et laisser refroidir l'aubergine. Couper l'aubergine en deux dans le sens de la longueur et détacher la chair de la peau. Presser le citron.

3 Placer la chair dans une terrine et ajouter le jus de citron. Peler l'ail, hacher et incorporer au mélange.

4 Ajouter la coriandre ou le persil hachés et mélanger soigneusement.

5 Assaisonner généreusement la préparation en ajoutant le piment de Cayenne, du sel et du poivre fraîchement moulu.

6 Couvrir la purée d'aubergine et laisser macérer au moins 4 h au réfrigérateur.

Pesto frais
Pesto fresco

1   Faire griller les pignons à sec dans une poêle. Retirer de la poêle et réserver quelques pignons pour la garniture. Laisser refroidir le reste puis placer dans un mortier. (Ne pas travailler avec un appareil électrique.)

2   Concasser les pignons. Râper le fromage, ajouter aux pignons concassés et mélanger.

3   Ajouter progressivement l'huile d'olive et le sel au mélange. Peler l'ail, hacher et incorporer à la préparation. Piler soigneusement le mélange en une pâte crémeuse.

4   Laver le basilic, égoutter et effeuiller.

5   Ciseler finement les feuilles de basilic, ajouter à la préparation et mélanger.

6   Tartiner la pâte sur du pain et garnir avec des pignons.

Pour 4 personnes

125 ml (½ t.) de pignons

50 g (1 ½ oz) de fromage espagnol à pâte dure, par ex. manchego

30 à 45 ml (2 à 3 c. à soupe) d'huile d'olive pressée à froid

5 ml (1 c. à thé) de gros sel marin

1 gousse d'ail

1 bouquet de basilic

Préparation : env. 20 min

Brochettes de pain au piment
Pinchitos de pan con alioli y guindilla

Pour 4 personnes

1 piment doux

4 épaisses tranches de pain de campagne

env. 150 ml (⅔ t.) d'aïoli

8 brochettes en bois

Préparation : env. 10 min

1   Nettoyer et laver le piment. Couper le pédoncule, épépiner et couper en petits dés.

2   Faire bien griller le pain, puis le couper en cubes d'environ 2,5 x 2,5 cm (1 x 1 po).

3   Badigeonner les croûtons d'aïoli sur toutes les faces et les piquer sur 8 brochettes en bois. Parsemer de piment et servir immédiatement.

Brochettes de pain aux anchois
Tostadas de anchoa

Pour 4 personnes

2 gousses d'ail

100 g (3 ½ oz) de filets d'anchois

6 brins de romarin

150 ml (⅔ t.) de beurre tendre

24 tranches de baguette

3 petits fromages de brebis

sel

poivre noir

8 brochettes en bois

Préparation : env. 15 min (plus temps de cuisson)

1   Préchauffer le four à 220 °C (425 °F). Peler l'ail, hacher finement avec les anchois. Laver le romarin, égoutter, effeuiller et hacher finement. Mélanger l'ail, les sardines et le romarin avec le beurre. Tartiner la pâte sur les tranches de pain.

2   Piquer sur chaque brochette trois tranches de pain, face enduite vers le haut. Disposer sur une plaque de four et faire cuire environ 8 min au four.

3   Couper le fromage en 24 tranches. Disposer sur les tranches de pain, saler, poivrer et arroser avec un filet d'huile d'olive. Faire cuire les brochettes de pain encore 3 min et servir immédiatement.

Brochettes de pain aux tomates
Tostadas de tomates secos

Pour 4 personnes

1 petit bocal de tomates séchées marinées dans l'huile

12 petites tranches de pain de campagne

4 brochettes en bois

Préparation : env. 10 min (plus temps de cuisson)

1   Préchauffer le four à 220 °C (425 °F). Égoutter les tomates. Badigeonner les tranches de pain avec l'huile des tomates puis piquer sur les brochettes en bois.

2   Disposer les brochettes sur une plaque de four et faire griller environ 5 à 8 min au four.

3   Retirer les tranches de pain et garnir avec les tomates séchées.

Brochettes de pain aillé aux crevettes
Pinchitos de gambas, jamón y espárrago triguero

1 Nettoyer les asperges, laver et couper en deux. Faire cuire les asperges environ 1 min dans un peu d'eau salée. Retirer et égoutter. Couper le jambon en deux dans le sens de la longueur, enrouler les asperges et couper en morceaux. Peler l'ail et couper en deux.

2 Faire griller les tranches de pain à la poêle. Frotter le pain avec l'ail et couper en cubes d'environ 2,5 x 2,5 cm (1 x 1 po).

3 Piquer sur les brochettes en alternant les croûtons, les morceaux d'asperges et les crevettes. Disposer les brochettes sur une plaque de four et badigeonner avec un peu d'huile. Faire cuire des deux côtés environ 4 min sous le gril.

4 Sortir du four. Arroser les brochettes avec le reste d'huile et le vinaigre. Garnir avec des olives dénoyautées et des câpres, puis servir.

Pour 4 personnes

8 asperges vertes

sel

8 fines tranches de jambon serrano

1 gousse d'ail

8 tranches de pain de campagne

8 crevettes prêtes à l'emploi

60 ml (¼ t.) d'huile d'olive pressée à froid

15 ml (1 c. à soupe) de vinaigre de xérès

8 olives noires

30 ml (2 c. à soupe) de câpres

8 brochettes en bois

Préparation : env. 30 min

159

Index des recettes

Ailes de poulet à l'ail 98
Ailes de poulet à la bière 98
Ailes de poulet à la riojana 99
Ailes de poulet au gingembre 98
Aïoli 136
Aloyau de porc au chorizo 81
Anchois farcis 114
Artichauts farcis 55
Artichauts marinés 64
Asperges sauvages 53
Asperges vertes aux crevettes 70
Aubergines à la cannelle 61
Aubergines grillées 72
Beignets au fromage 35
Beignets d'aubergine 32
Beignets d'olives 27
Beignets de poivron 32
Bouchées de morue 123
Boulettes de fromage frites 155
Boulettes de poireaux 63
Boulettes de viande au vin 76
Boulettes de viande aux dattes et aux amandes 76
Brochettes à la mauresque 89
Brochettes d'agneau 88
Brochettes d'agneau en sauce 88
Brochettes de bananes, dattes et pruneaux 53
Brochettes de lièvre aux olives 87
Brochettes de lotte à l'ail et au xérès 110
Brochettes de lotte à la mauresque 110
Brochettes de pain au piment 158
Brochettes de pain aux anchois 158
Brochettes de pain aillé aux crevettes 159
Brochettes de pain aux tomates 158
Brochettes de poulet au crabe 103
Brochettes de viande 88
Cailles au vinaigre de xérès 104
Calmars à la galicienne 125
Calmars au piment 124
Calmars aux oignons 124
Champignons aux pignons 45
Champignons farcis 61
Champignons grillés 73
Champignons marinés 65
Champignons marinés au piment 42
Champignons marinés aux olives noires 42
Chevreau à la pastorale 79
Chips boniato au mojo verde 50
Chips boniato nature 50
Cœurs d'artichauts à la sauce tomate 45
Concombre aigre-doux 54
Condiment au piment 142
Côtelettes d'agneau au romarin 79
Crevettes au four à la mayonnaise au
    safran 126
Crevettes au four à la mode classique 126
Croquettes de morue salée 113
Croûtons à la mode classique 152

Croûtons au bacon et au boudin 152
Cuisses de canard à l'orange 100
Cuisses de canard aux abricots et raisins secs 100
Cuisses de poulet à l'andalouse 92
Cuisses de poulet aux olives et au xérès 92
Dattes au bacon 69
Dorade frite 129
Échalotes marinées 64
Empanadas à la tomate 38
Empanadas au chorizo 38
Empanadas au thon 38
Empanadas aux épinards 39
Empanadillas aux champignons et crevettes 16
Empanadillas aux légumes et raisins secs 16
Endives aux anchois 46
Escargots à l'andalouse 130
Espadon à la sauce safran 131
Fèves aux œufs 36
Figues farcies au four 139
Figues farcies au fromage 141
Filet de bœuf au jus de grenade 80
Filet de poulet au xérès 105
Flamenquines aux asperges vertes 58
Flamenquines aux carottes 58
Foie à l'origan 82
Foie épicé au majado 83
Foie mariné 82
Foies de volaille au vinaigre de xérès 95
Fromage de brebis mariné aux fines
    herbes 151
Fromage de chèvre aux olives 150
Fromage frais mariné 150
Fruits de mer grillés 115
Homard mariné 129
Lapin au safran 87
Légumes grillés 72
Manchego à la gelée de coings 148
Manchego aux olives 150
Maquereaux marinés 122
Moules marinées 132
Œufs à l'andalouse 35
Œufs au xérès 26
Œufs aux épinards et à la tomate 22
Œufs aux olives et à la tomate 22
Œufs aux sardines et à la tomate 22
Œufs diaboliques 37
Œufs pimentés à la tomate 23
Olives à l'orange 62
Olives marinées 47
Olives marinées à la coriandre 66
Olives marinées au fenouil 66
Pain catalan 147
Pain grillé aux crevettes aillées 147
Pain perdu 139
Pain perdu à l'ail 28
Pains andalous 29
Palourdes au mojo de coriandre 132

Palourdes au piment et au xérès 133
Pesto frais 157
Petits calmars au vin blanc 124
Pétoncles au piment 132
Pilons de poulet aux pignons 95
Poivrons farcis 57
Poivrons farcis au fromage de brebis 56
Poivrons farcis au fromage de chèvre 56
Poivrons farcis aux olives 56
Poivrons marinés 64
Pommes de terre à l'ail 48
Pommes de terre au chorizo 48
Pommes de terre au poivron 48
Pommes de terre en robe des champs 49
Poulet à l'aïoli 106
Poulet à l'orange 97
Poulet à la sauce miel-moutarde 96
Poulet à la sauce tomate 106
Poulet au cava 106
Poulet au chorizo et au poivron 103
Poulet au xérès et aux champignons 107
Purée d'aubergine 156
Ragoût de veau au maïs et piment doux 84
Ragoût de veau en sauce 84
Rognons de veau à la riojana 82
Salade russe 69
Sauce à l'ail 136
Salsa fresca 143
Sardines à la coriandre 116
Sardines au four 116
Sardines farcies 113
Sardines frites 121
Sardines frites à l'ail 117
Sardines marinées 116
Sauce piquante au fromage 149
Sauce romesco 142
Sauce verde 142
Tapenade à l'andalouse 155
Tapenade de tomates à la mode classique 144
Tapenade de tomates au fromage frais 144
Tartare de thon 121
Thon mariné au xérès 118
Thon mariné à l'orange 118
Tomates cerises séchées et marinées 71
Tomates en coulis 140
Tortilla au chorizo 24
Tortilla au four 20
Tortilla au poivron 30
Tortilla aux asperges 24
Tortilla aux aubergines 30
Tortilla aux cèpes 19
Tortilla aux crevettes 19
Tortilla aux épinards 30
Tortilla de haricots au chorizo 21
Tortilla de pommes de terre 31
Tortillitas aux crevettes 19
Tranches de courgette grillées 72